16歳のデモクラシー

受験勉強で身につけるリベラルアーツ

LECTURES ON DEMOCRACY

佐藤優

SATO MASARU

晶文社

イラスト　市村 譲
写真　ただ(ゆかい)
編集協力　山本菜々子
ブックデザイン　アルビレオ

まえがき

本書は、埼玉県立川口北高校（川口北高）2年生たちと私がラインホールド・ニーバー（武田清子訳／佐藤優解説）『光の子と闇の子――デモクラシーの批判と擁護』（晶文社、2007年）を共に学んだ記録を基に書かれている。

本書には、3つの目的がある。

第1は、アメリカにおけるトランプ大統領の誕生をきっかけに地球的規模で民主主義（デモクラシー）が危機に陥っている現状を見据えて、民主主義について根源的に考えることだ。ラインホールド・ニーバー（1892〜1971年）は、アメリカ政治に現在も影響を与え続けている政治学者でプロテスタント神学者だ。本文で詳しく説明したが、状況に応じては、武力行使を辞せずに民主主義的価値観を実現するというアメリカ外交の発想を理解する上で、『光の子と闇の子』が最良のテキストであるからだ。

第2は、教養力の強化である。川口北高は、リベラルアーツ（教養）を教育の軸に据えている。教養をつけるためのマニュアルは存在しない。テキストの読解と、教師や友人との交わりによって、教養は時間をかけて、自然に身につけるものだ。そのためには難しい本を、その分野に通暁した専門家と一緒に読むことが不可欠であるが、高校生の場合、そのような機会がなかなか得られない。2018年5月、さいたま市のホテルで、私の母校である埼玉県立浦和高等学校（浦高）の同窓生が集まる機会があった。そのとき川口北高の大川勝校長と面識を得た。大川氏から「川口北高の全校生徒の前で話をしてほしい」という要請があった。この年の11月20日に講演をすると生徒たちから大きな反響があった。講演後、校長室で生徒たちの質問を受けた。テーマは多岐にわたり、勉強法、進路、国際情勢、教養のつけ方、学問と人生などについて話をした。この学校の生徒たちとならば、踏み込んだ話ができると考え、大川校長と柴崎隆史教頭（当時、浦高出身）に課外での集中講義を行うことを提案した。それが本書の基になる2019年2月14日と4月3、4、5日の集中講義につながったのである。連日、午前8時45分から午後3時45分までの講義に新2年生（当時）の生徒たちが集中して取り組んでくれた。本書を読んで頂ければ、講義の様子をリアルに追体験していただけると思うが、最初は遠慮がちだった生徒たちが徐々に積極的に講義に参加するようになっていく変化が手に取るようにわかっていただけると思う。

現下日本の高校生は、偏差値競争で疲れ切っている。学力で志望校を選定するにあたって偏差値は便利な指標だ。しかし、偏差値によって競争が過度に煽られた結果、ほとんどの生徒が——成績優秀者を含め——勉強嫌いになってしまう。大学に入った後、本気で勉強する学生は、ほんの一握りに過ぎない。この状況を変えるためにも、中学高校時代に学ぶことが面白いという体験をしておくことが重要だ。そんな想いも込めながら私はこの集中講義を行った。

第3は、高いレベルの英語力をつける動機を持たせることだ。現在の高校英語の教科書は会話に大きな比重が置かれている。その分、私の世代(1970年代後半に高校教育を受けた)と比較すると、読解力と文法力が弱くなっている。外国語の力の天井は読む力によって決まる。読んで理解できないことは、聞いてもよくわからない。その事柄について話したり、書いたりすることもできない。ニーバーの英文は、英語を母語とする社会の知識人が読む英語だ。こういう英語に触れることによって、「将来はこのレベルの英語力を身につけなければいけない」という認識を生徒たちに持ってもらうこともこの集中講義の目的だった。このとき授業を受けた生徒の何人かは現在もメールで学習報告を送ってくる。その中には、英語を使う仕事に就きたいと考え、英語力を伸ばしてくれる大学を志望校にした人もいる。この生徒は、着実に勉強を続け(運動部の部活も一生懸命行っている)、成績も良いので、志望校に合格し、大学でも真摯に勉学に取り組むようになると私は確信している。

教養教育は、師弟関係を確立し、学びの共同体を作ることによってのみ可能であることを川口北高での集中講義を通じて私は再認識した。

第1講 歴史の年号はなぜ重要なのか

第2講 デモクラシーの起源

第3講　世界戦争が起きるメカニズム

第4講 未来を見通す力をつける

第1講

歴史の年号はなぜ重要なのか

この講義の主旨

ではさっそくはじめましょう。今回の講座には、大きい目的が二つあります。

まずひとつは、人生に役に立つ教養を身につけることです。すなわち人生をトータルで考えたときに役立つ勉強について、考えていきましょうということです。

それからもうひとつ、率直に言ってほしいんだけど、高校に入ってから勉強がかなりキツくなったんじゃない？　たぶん川北（川口北高校）に入ってくるみなさんは、中学のときの成績がクラスで一番か二番だったと思います。だけど高校に入ると、どうもその調子じゃいかなくなる。人によってはすごく不安になってくると思う。部活もけっこう忙しいから、なかなか勉強が大変になってきているでしょう。これが続くと、そのうちに勉強が嫌いになっちゃうんだ。とくに入試を控えているから、明確な数値として偏差値や順位も出されてしまう。難関校にいて成績が学年で半分以下になると急にやる気を失っちゃう人をたくさん見てきてる。そういうふうにならないように、しっかり力をつけてほしい。

僕はもう59歳です。これくらいの年になると、極端な話だけど、大学入試はどんな大学でも合格することができる。なんでかというと、勉強の要領をつかめるから。みなさんの場合はまだそれがつかめていない。だから、適宜アドバイスや指導を加えることで、みなさんが揃って志望校に入れるようにしたいんです。

教養を身につける、そして大学受験で志望校に入ってもらう。この二つのことを楽しくやっていこうというのが、この授業の狙いです。

今配ったアンケートには志望校を書く欄がありますが、今の時点ではまだ決まっていないひとも、今この瞬間に無理やりにでも決めちゃって、3校書いてみてください。それから、住所とメールアドレスですが、これからみなさんに頻繁に連絡をとるし、「ここがわからない」「これはどうやって勉強したら？」などの勉強の相談に、個人的にぜんぶ応じたいと思っています。あるいは、僕の電話番号をオープンにしておくから、いつ電話してくれてもいい。

僕は浦和高校でも一年前から教えています。私立武蔵中高とも縁があって、生徒たちに教えることがある。そのときにもこのように連絡先をオープンにしています。勉強や生活に関してはいろいろ相談してください。

まず、みなさんには小テストを受けてもらいますが、成績評価とは関係ないからね。講義を進めていくにあたって、現時点でみんなにどれくらいの知識が身についているかを知りたいんだ。まずは世界史の簡単な年号と数学の証明問題をやってみたい。10分くらいでできると思う。年号に関しては、わからなかったら大体でいいから欄を埋めてください。

ちなみに、早稲田大学政経学部でこのレベルの年号の問題を100題出してみました。平均点は何点だったと思う？　5・0点だったの。慶應義塾大学の総合政策大学院でやったら4・2点だった。慶應より早稲田のほうが点が高いのは、入試から2年しか時間が経っていなかったからと思います。

なんでこんなめちゃくちゃな結果になるかというと、学生のみんなが受験勉強が嫌いだったから。役に立たないと思っているから、入試で合格した瞬間にパッと忘れてしまう。だからみなさんが今書けないとしても、そんなにびっくりする必要はありません。ただ、これらの年号は知っておかないと、のちのちヤバいことになる。

小テスト1（歴史・数学）

1. 以下の出来事の年号を記せ。

(1) ウェストファリア条約
(2) 第一次世界大戦勃発
(3) 第二次世界大戦勃発
(4) 真珠湾攻撃
(5) 広島・長崎への原爆投下
(6) サンフランシスコ平和条約の発効
(7) ソ連崩壊
(8) ロシア社会主義革命
(9) 9・11米国同時多発テロ
(10) 明治維新

2. 整数に関して、任意の偶数と任意の奇数を足すと必ず奇数になることを証明せよ。

時間の流れは二つある

はい、時間になりました。となりの人に答案を渡してください。それでは採点していこう。

ウェストファリア条約は何年？

生徒：１８６３年……？

うーん、もうちょっと古い。ウェストファリア条約を覚えている人は手を挙げて。

１６４８年です。これは三十年戦争の終結によって結ばれています。

二番目の問題、第一次世界大戦勃発は？　１９１４年。

三番目の、第二次世界大戦勃発は？　よく１９４１年と間違えるひとがいるんだけど、それは太平洋戦争、あるいは独ソ戦の勃発です。ナチスドイツがポーランドに侵攻したのは１９３９年だから、第二次世界大戦の勃発は１９３９年です。真珠湾攻撃は太平洋戦争の勃発、日本時間の１９４１年12月8日。現地のハワイ時間だと12月7日です。

広島・長崎への原爆投下は、１９４５年。

サンフランシスコ平和条約の発効は１９５２年。51年に条約に署名されて、翌年の4月

28日に発効している。
ソ連崩壊は1991年。ロシアの社会主義革命、1917年。9・11米国同時多発テロ、2001年。明治維新、1868年。
1番の問題は一問を5点で採点して、2番のほうは、できた人には50点つけて。上のほうに合計点を書いて、となりに戻してください。

さあ、世界史の授業はぜんぶ終わったはずなのに、年号はぜんぜん覚えていないね(笑)。なんで年号を覚えなければいけないか。入試に出てくる出てこないの問題ではないよ。年号を覚えることは、時間の流れと深く関係しているからなんだ。
昨年末に紅白歌合戦を見た人はいる？　ほとんど見てますね。見なかった人はどうして？　つまんなかった？

生徒：好きな音楽ジャンルじゃなかったから。

なるほど。あの番組は、ほかの日に放送したらほとんど視聴率をとれないと思うんだよね。紅白歌合戦は、じつは宗教行事なんです。あの番組、23時45分になるとどうなる？　みんなで「蛍の光」を歌って、画面が切り替わる。ゴーンと鐘が鳴って、「滋賀の三井寺です」とか「福井の永平寺です」とかって画面が出てくるよね。番組のなかではいろんな音楽が入り乱れて混乱させるでしょ。混乱させた後に静かな秩序が出てくる。あれは、混沌＝カオスから秩序＝コスモスをつくりだしていく、ひとつの神話的な創造儀礼なんだ。大学で宗教学、文化人類学、あるいは社会人類学を勉強するとこういうことを学びます。

新年になると、新しい気持ちで一年を迎えようと、今年はしっかり勉強しようとか部活に力を入れようとか思うでしょう。でも、ヨーロッパやアメリカでは、それがない。僕はロシアに8年間住んでいたけど、そういう気持ちになったことはなかった。なぜなら、年をもう一度やり直して円環を描く、という時間概念の社会ではないからなんだ。

ユダヤ・キリスト教的な時間概念には、始まり、始点があり、そして終点がある。こうやって左から右へいくみたいに単一方向で流れていく時間を「クロノス」といいます。英語にchronologyという単語があるけど、どういう意味だろう？　君は聞いたことある？

生徒：ないです。

じゃあみんなで辞書を引いてみようか。流れていく時間のことはtimeだよね。何て書いてあった？

生徒：「年代順配列」。

年代順配列、つまり時系列表とか年代表とか。日常的な授業でも世界史の年表を配布されるでしょ？　あれをchronologyというんです。流れていく時間を記録しているものを指します。

それに対して、上から降りてきてそれまでの流れを切断する時間というものがある。これをギリシア語で「カイロス」といいます。英語だと、timing だけど、なんて訳す？　日本語にしてもタイミングだし、「時機」と訳したりもするよね。たとえば君は、何年の何月何日に生まれた？

生徒：２００２年4月14日です。

その日はあなたにとってのカイロスだ。それ以前にはあなたは存在しない。２００２年4月14日を基準として、あなたがいる世界と、あなたがいない世界があるわけです。あなたの誕生日はあなたのカイロス、みなさんの誕生日はみなさんのカイロスです。突然だけど、恋人はいますか？　秘密？

生徒：いないです。

いつかあなたに恋人ができたとき、その人と初めてデートした日がカイロスになります。ちなみに、初恋で最初に付き合った恋人とは別れるものだよ（笑）。別れないと後々に大変な騒動になったりする。初めて付き合った日も、別れてしまった日も、どちらもカイロス。その出来事がある以前とあった以後で世界が異なるわけです。

川北の入試はいつだった？

生徒：3月1日。

その日もカイロスだね。その日に試験を受けていなければ、みんなこの学校に来ることはなかった。

国家にもあるカイロス

ここまで個人のカイロスについて話してきました。このカイロスは、国家にもあるんだ。1945年8月15日は何の日だろう？

生徒：終戦記念日です。

そうだね、この終戦記念日にはどんな意味がある？

生徒：日本とアメリカの戦争が終わって、平和になった日……？

大枠で言うとマルです。でも、国際法的観点で厳密に言うとバツ。日本とアメリカの戦争状態が終わったのは1952年4月28日、サンフランシスコ平和条約が発効した日なんだ。

国際法上は、戦争が始まると今までの国家間の関係性が一旦ぜんぶなくなっちゃう。もう一回平和条約を結んで、その条約が発効した日にやっと戦争が終わる。それが国際法における戦争の終結です。8月15日の前日である14日に、日本政府は中立国であるスイスを通じて、アメリカ・イギリス・ソ連の連合国に対し、「日本はポツダム宣言を受諾します。戦争に負けました、降伏します」という意思を伝えた。国内にそれを天皇が説明したのが15日です。だから国際法的には15日には何の意味もない。次に意味があるのは、1945年9月2日、東京湾に停泊していた戦艦ミズーリ号において、日本政府が連合国の代表者に対して降伏文書に署名したとき。この日が停戦の日、戦闘終結の日なのです。そして1952年4月28日、ようやく戦争は国際法的に終結したわけ。

ここまで出てきた年号というのは、その年以前と以降で、歴史の意味が大きく異なるような重要な数字なんだ。だからその一つひとつを覚えなければいけない。ウェストファリア条約もそうだし、第一次世界大戦が勃発する前と後では、世界がぜんぜん違う。

最近は第一次世界大戦と第二次世界大戦を分けないで考える見方が多くなってきた。イギリスの歴史学者にエリック・ホブズボームという人がいるけど、この人は「長い19世紀、短い20世紀」という考えを提唱している。どういうことだろうか？　19世紀というと何年から何年まで？

生徒：1801年から1900年まで。

その100年間を指すよね。でもこの人に言わせると、実際の19世紀はそれよりも長く、1789~1914年までになる。1914年というのは、第一次世界大戦の勃発までということ。1789年は分かる人いる？　フランス革命です。つまり、フランス革命から第一次世界大戦の勃発までがひとつのまとまりとしての19世紀なのだと。

そして1914年から1991年を短い20世紀と呼ぶんだ。第一次世界大戦の勃発からソ連崩壊まで。それが歴史の意味を持つひとつのまとまりだと考えるわけだね。

そのあとは現代であり、もう歴史の課題ではないことになる。1992年以降はもう我々が生きている現代なんだ。

このホブズボームという人は、第一次世界大戦と第二次世界大戦を区別しない。1914年から1945年までを「20世紀の三十一年戦争」と呼んでいた。ヨーロッパでは百年戦争や三十年戦争があったけど、実は戦闘をしている期間はほとんどない。それを踏まえると、1918年で一度終わって1939年に再開するまで、戦闘がお休みだったと考えられる。これを国際政治学では「戦間期」といいます。この言葉は教科書にも出ているんじゃないかな。

ここまで出てきた年号をしっかり覚えなければいけないのは、歴史の構造において節目となる年だから。年号は、みんなあまり得意ではないみたいだね。

歴史と年号の知識があれば、これから読んでいくラインホールド・ニーバー『光の子と闇の子』の内容が頭に深く入り込んでくる。

歴史の終点について

さて、歴史の終点について考えてみよう。英語で、終わりのことを何ていいますか？

生徒：end

そうだよね。「end」って、終わりという意味以外にどういうのがある？　辞書を引いてみましょう。

生徒：「最後、終わり、死、目的……」

はい、それです。「目的」という意味があるんです。終わりであるとともに目的である。ギリシア語で「テロス」という言葉がある。みんなは「テレオロジー」という言葉を聞いたことある？　辞書を引いてみて。

生徒：「目的論」……？

そう、目的論。哲学で有名なタームです。

高校入試での目的ってなんだった？

生徒：第一志望校に合格することです。

そうだよね。川北が第一志望だった？

生徒：はい、ここでした。

だとすると、受験の目的として、川北校生になった自分をイメージしたでしょう。それは、自分にとっては中学生活の完成ともいえるよね。中学生活の終わりともいえます。つまり、目的であり、完成であり、終わりである。

ユダヤ・キリスト教文化圏において、終わりというものはまったく悪いことではない。それは完成であり目的であるから。この目的論にしたがって物事を見たり考えたりする。日本文化においてはとかく一生懸命であることが評価されるよね。どこに行くかはわからないけど、一生懸命であることそのものが評価される。それに対して、この出口に行くのだと決めて、それに向かって進んでいくのが目的論という考え方です。

ヨーロッパにおける歴史という概念には、すでに目的論が埋め込まれている。そういうことを知っておいてもらいたいわけです。

英語は日本語をみながら訳す

今度はみなさんの英語力を見てみよう。今回は『光の子と闇の子』を原書と共にすべて、みなさんに読んでもらおうと思っているんだけど、まずは配布したコピーの部分を訳してみよう。15分くらいで、辞書を引いてもらってかまいません。辞書でも電子辞書でも、インターネット環境がある人はスマホを使っても結構です。

今出題したところは邦訳がないんです、だから自力で訳さないとだめなんだ。これからこの本を読み進めていきますが、部分的にみなさんに割り当てていきます。日本語がある部分は邦訳を見ながら訳してかまわない。ただし、武田清子さんの邦訳はとてもこなれた表現になっているので、あえて直訳調で訳してみてください。すでに邦訳された文章を、それと照らし合わせながら自分で和訳してみることは、英語力をつける近道になるからね。

みなさん基本的な学力はしっかり身についているので、あとは詰めのところをしっかりやっておこう。世界史だってせっかく学んだのだから、あとは最後の詰めとして年号などを

小テスト2（英語）

（英和辞典[電子辞書を含む]のみ参照可）

以下の英文を和訳せよ。

The Children of Light and the Children of Darkness, first published in 1944, is considered one of the most profound and relevant works by the influential theologian Reinhold Niebuhr, and certainly the fullest statement of his political philosophy. Written during the prolonged world war between totalitarian and democratic forces, Niebuhr's book takes up the still-timely question of how democracy as a political system can best be defended. It is in the foreword to the first edition of this book that Niebuhr wrote, "Man's capacity for justice makes democracy possible; but man's inclination to injustice makes democracy necessary."

しっかり覚えてしまおう。
私が講義のなかで「覚えましょう」と言ったものに関して、無駄なものはひとつもないからね。無駄なものは何ひとつ覚えさせないつもりです。無意味なことを覚えさせられるんじゃや、受験勉強が嫌になってしまう。意味のあることだけを覚えましょう。私のほうでその仕分けはきちんとしておくから。

［小テスト2（英語）の解答例］
1944年に初版が刊行された『光の子と闇の子』は、影響力のある神学者ラインホルド・ニーバーの最も意義深く的を得た作品の1つと考えられており、疑念の余地なく彼の政治哲学の最も完全な表明である。全体主義勢力と民主主義勢力の間の長い戦争の間に書かれたものであるが、ニーバーの本は政治システムとしての民主主義がどのようにすればもっともよく擁護されるかという今日なお時機を得た問題を取り上げている。本書の初版の序文においてニーバーは、「正義を求める人間の能力が民主主義を可能にするが、不正に傾く人間の傾向のため民主主義が必要になる」と書いている。（原書 Reinhold Niebuhr "The Children of Light and the Children of Darkness" 裏表紙、書籍概要より）

『光の子と闇の子』の冒頭を読む

ではさっそく、この本に入っていこう。この本はアメリカの歴代大統領に影響を与えてきて、著者のニーバーは日本でもかなりの数の翻訳書が出版されている。20世紀の思想史に大きな影響を与えた、アメリカの政治学者であり神学者だ。ニーバーがどういう人なのかについては、次回の講義から本格的にみんなと学んでいくことにして、ここでは第一章の冒頭部分を読んでみよう。

デモクラシーは、歴史上に存在するあらゆる理想や、制度の例にもれず、一時的に有効な要素と恒久的に有効な要素との両方を内包している。デモクラシーは、一方、ブルジョア文明を母体としているから、その特色を備えてはいるが、これは、また、他方、自由と秩序が矛盾するのではなく、両者が互に支えあうことを可能にするところの、社会組織の恒久的に貴重な形態である。

デモクラシーは、過去3、4世紀にわたって、ヨーロッパ文明の中に勃興して来た中産階級の立場を代表するものである限り、「ブルジョア・イデオロギー」である。デモクラシーの理想は大概の場合、われわれが知っているように、中世封建社会の支配階級、すなわち、教会、貴族などを向こうにまわして最後まで戦いぬいて勝利をおさめた商業階級の武器であった。（『光の子と闇の子』（以下「本文」）11～12頁）

democracyって通常はなんて訳す？　「民主主義」だよね。あるいは政治体制をいうときには「民主政」といいます。「民主制」と書くこともある。

民主主義は歴史的にはどこで始まったの？　古代ギリシアだよね。しかし、古代ギリシアの時代には、民主主義がベストであるという考え方ではなかった。政治体制が三つあった。一つは君主制、二つめは貴族制、三つめが民主制です。それぞれ、堕落する可能性をもっている。君主制が堕落すれば、王様が悪くなるわけだから、独裁制になる。貴族制が堕落すれば、一部の金持ちだけが権力を持ち、恣意的に方針を決めてさらに利益を得てしまう寡頭制になる。さて、民主主義が堕落するとどうなる？　衆愚政治だね。民主主義がもっとも良いものだとする考えが出てきたのは、そんなに古いことではないんだ。１７８９年のフランス革命以降。そして日本においては、１９４５年の第二次世界大戦敗戦以降です。それまでの日本は君主制、とくに天皇制の国として、ある時期までは民主主義が危険な思想として見なされていたんだ。

この本のテーマは高校教科でいうと、倫理と政治経済にあたります。じつは倫理や政治経済も積み重ねて学んでいく科目です。最初のパラグラフを読んでみて、「ふーん、なんか難しい言葉が出てくるなあ」と読み飛ばしてしまうと、この先をまったく理解できないことになるからね。

歴史とはヨーロッパのもの

読み解きにおいて大前提となるので、古代ギリシアの話をしよう。現在の政治や社会を理解する基礎は、すべてヨーロッパに由来する。

もちろんアジア独自の政治や社会の歴史もある。日本の場合は中国の辺境地域でもあり、中国が政治モデルになっていたけれども、適度な地理的距離があった。だから漢字は完全な形ではなく、変容して日本に入ってきた。それから中国にあった科挙、試験によって国の官僚を選ぶ制度は日本には入らなかった。ちなみに朝鮮半島と沖縄には、中国のシステムがそのまま定着していた。そのため、すでに定着していた中国型モデルからヨーロッパ型モデルに変換するさいには、大変だったようだね。他方の日本では中国型が定着していなかったから、転換が比較的簡単だった。これを「後発性の優位」といいます。新しい技術が外から入ってくる場合に、もともとあまり技術が進歩していない場所のほうが定着させやすい。たとえば携帯を例に挙げると、日本にはガラケーという独自技術があったので、最新技術であるスマホの定着で遅れをとることになった。

西洋思想は古代ギリシアに由来している。ギリシアには都市国家のポリスがありました。都市国家はどういう人で構成されていたか？ まずは成人男性であること。そして自由民であること。自由民を大きく分けると貴族と平民です。

ポリスが動く原理として、ポリスにはポリスのルールがあった。それは「ノモス」と呼ばれるもので、通常は法律と訳される。ドイツの政治学者、カール・シュミットは、ナチスドイツの初期の法律理論をつくった人だけど、そのシュミットの著書に『大地のノモス』という有名な本がある。ノモス＝法です。民主主義において、みんなで集まって議決しましょうといったときに、どのように議論を進めていくかについて取り決めたものです。数学Aで習う「論理」も、じつは古代ギリシアのものです。ポリスには論理的に話を進めましょうというルールがあった。

ここまでは学校や大学で教えてもらえる範囲内だ。しかしもうひとつとても重要なことがある。ポリスの中には自由民の成人男性ではない、奴隷や女性も存在していたんだ。そういう人たちが所属している社会があって、これを「オイコス」という。家庭や家政、あるいは経済と訳すこともあるね。英語で経済をエコノミーというけれども、これはオイコスから来ている。女性や奴隷が所属する社会では、民主主義的な法や論理が適用されなかった。適用原理が異なるわけです。ギリシア語には「ビア」という概念があって、これは暴力のことです。家の家長は暴力で奥さんを押し返してもいいし、奴隷なんて殺してもかまわない。その原理によって経済が成り立っていたわけだ。

いまドメスティック・バイオレンスが問題視されたり、女性の地位が低いという課題について議論が起こっているけれど、ヨーロッパから輸入されたギリシア型のシステムにはもともとこうした欠陥が含まれていたんだ。ギリシアを知ることは、それらの問題の根幹を知ることになる。

近代というのは政治と経済の距離をできるだけ近づけていこうとする試みだと言える。ポリスの論理とオイコスの論理を近づけること。しっかりした法的な原理である自由や平等や人権を、家庭を含む社会に適用しようとすること。これがデモクラシーの考え方なんだ。

こんな調子で、次の講義から『光の子と闇の子』を読み解いていくことになります。読み解きがひとまず終わったら、みんなが何を勉強したいか、どういうことに関心があるか、教養を身につけるために何をしたいか、勉強のどんなことに悩んでいるか、将来の進路についてどんなことを考えているか、そんなことについて意見交換をしたいなと思っている。

知識を定着させるきっかけに

今日、みなさんに小テストを受けてもらったけど、これはみなさんがどれくらい知識を持っているかを知って「この人はこういうミスをするんだな」という把握をしたいからなんだ。それから知識を定着させるきっかけになればいいという思いからだ。数学の問題は丁寧に直して戻しました。赤ペンを入れた人に関しては、数学Iのところから見直してみてほしいという私からのメッセージです。年号に関しても、間違ってもいいんです、これは抜き打ちなんだし。ただ問題は、ロシア革命とソ連の崩壊で、順番が逆転してしまっている人。ソ連崩壊のほうに若い年号を書いて、ロシア革命に後の年号を書いている人の場合は要注意だね。

流れを理解していないということだから。あるいは第一次世界大戦と第二次世界大戦の年号が逆転してしまっている人が、実はときどき大学生でもいる。それは歴史というよりも、第一次と第二次の関係を理解できていないということだね。一と二があるなら二のほうが後に起きたはずというセンサーが働いていないのかもしれない。そこはよく注意したほうがいいね。

さきほど数学の問題のみなさんの解答を見たけど、ちょっと調子が悪かったひともいるよね。僕が赤ペンで直しておいた人たちに、率直でシビアなことを言いますね。数学Ⅱ・Bに進んだとしても、おそらく授業についていけないのではないかと思います。

数学と英語に関しては、知識の欠損があると、その場ではなんとか授業を乗り切ることができても、たいして身にならない。さらに、ある段階から数学は演習問題を解いていくことが中心になる。チャート形式で類題を解いて考え方を学んでいくんだけど、解答を暗記する人もいるかもしれない。でも、暗記数学は力がつかないんだ。それどころか時間の無駄になってしまう。英語と数学はレンガを積んでいくような積み上げ方式で学ぶものなので、もし分からないところがある場合には、知識の欠損があるはずだ。川北に合格するレベルのみなさんには、ちょっとプライドがあって、自分がわからないはずがないという思い込みがあるかもしれない。だから、分からなくても飛ばしてしまう可能性がある。いま勉強して理解しているところにかじりついていればいいと思うかもしれないけど、それではできるようにならない。それを勉強するためには、もう一回教科書に立ち返って、数学の教科書の本文をよく読む必要がある。本文のなかの例題を自分で解いてみることだね。

英語や数学の分野に関して、自分がそれに該当するなと思う人で、希望者がいたら、僕にいくらでも連絡してきてください。具体的な勉強の仕方を教えるからね。それから毎日、学習報告をしてください。今日は数学のどこからどこまでを勉強したか、できなかった日はぜんぜん勉強していないことを、一行でかまわない、毎日きちんと報告することで学力を急速に向上させることが期待できるからね。

私は浦和高校で11人ほどの生徒たちを見ているけど、学力的に調子が出なかった生徒たちを半年くらいでかなり引き上げた経験がある。学年で100番台にいた生徒を10番以内に入れることもできた。11人見ている生徒たちの半分くらいが一桁台に入っています。それは継続的な学習の成果でもあるけど、いったん自分のプライドを括弧のなかに入れてしまって、知識の欠損部分からやり直した結果でもある。これはどこの高校でも同じなんだ。

いま分かっていないことを分からないままにしてしまうと、ワニの口みたいに、この先どんどん分からない箇所が開いていってしまう。それが顕著なのが数学、つぎが英語です。だから英語と数学に関しては、今できていないところがあるなら、そこの基礎固めに立ち返らないといけない。そのときに重要なのは教科書だ。いま使っている教科書と相性が合わなかったり、同じものを二度使っても頭に入らなかったりする場合は、僕に相談してください。相談内容に応じて、相性の良さそうな参考書や教科書を紹介するから。

学習力を上げるには（質疑応答）

みなさんのほうで何かありますか？　抜き打ち試験を受けさせられるわ、英語を訳させられるわ、かなわないなあと思ったこともあると思うけど。言いたいことなどがあれば遠慮なくどうぞ。そんなこと言われても困るか（笑）。

生徒：先生、質問なんですが。この授業で、学力を上げるということと、人間としての教養を身につける、というテーマがありますが……。

両方やるよ。学力を伸ばすことと、教養や人間力をつけることは、相関関係が高いんだ。基本的には『光の子と闇の子』を一冊ぜんぶ読み終えます。この本を読んでいく過程で、英語力を強化するとともに、現代文の力も強化する。そして世界史と倫理の力もつけてもらおうと思ってる。みんなの反応と英語の問題を見てみたところ、すでに基礎学力はしっかりついているから、やり切れると思っています。

生徒：僕は川北のなかでも落ちこぼれの部類に入るんですけど、そんな自分でも変わることができますか？

できる、もちろんだよ。だってこの高校に受かってるんだから。中学では成績はどのくらいだった？

生徒：30人いるクラスで10番めくらい。

3分の1に入っていたわけでしょ。この学校にちゃんと入っているわけです。埼玉県の母集団自体がちょっと偏っているんです。この学校は埼玉県の塾が出しているデータだと偏差値62くらいだけど、インターネットで全国の偏差値データを見ると66くらいある。66というと静岡県なら浜松西高校くらいです。そこの出身で、いま私が同志社大学神学部で教えている学生がいるけど、その子はとても優秀です。その学校は毎年コンスタントに東大に2人くらい入っています。

その意味でいうと、入り口における学力はこの学校はかなり高い。問題は、埼玉県の高校生が自分の持っている力を過小評価する傾向が強いことです。これがなぜなのか、私にとってはひじょうに大きな課題です。だからこそ、浦和高校だけでなく、他校でもこうした講座を広く持ちたいという気持ちを持っていました。浦和高校の生徒も自分を過小評価する傾向があるんです。いろんな要因があると思う。受験産業の業者テストの内容もそうだし、東京から適度に離れていることもあると思う。東京のほうが受験産業は圧倒的に発達しているからね。東京の麻布、筑駒（筑波大附属駒場）、武蔵などと比べると、受験産業の利用度の違いもあるし、情報量の違いもある。埼玉の高校生はそのあたりの不利益を意識しちゃっているのかもしれない。でも、そこはぜんぜん心配ないからね。

具体的な問題についてダイレクトに僕に連絡をくれれば、喜んで答えます。ぜんぜん恥ずかしがることはないから。浦和高校では、駿台模試の現代文で、校内350人中、348番になってしまった、という生徒がいました。そこで私といっしょにちょっと対策してみたら、校内順位3番になりました。その人はいま東大に通っています。

人によってそれぞれ適切なやり方があります。それがわかったら、そのあと重要なのはどれだけ集中して継続できるか。ただし、ここはみなさんの選択の自由です。部活のほうが大切かもしれないし、友情のほうが大切だからカリカリ勉強したくない人もいるかもしれない。その場合には無理強いはしたくない。みなさんが自分で選択すべきところです。

ですが、高校までの勉強、とくに受験勉強はじつは無駄にはならないんだ。社会に出てから役に立つ内容がとても多い。これは社会に出てみないとわからないんだけどね。

いまはとにかく、けっして自分が落ちこぼれているなんて思わないこと。それはちょっとした巡りあわせの問題にすぎない。さっき、「後発性の優位」という話をしましたよね。もともと自分にはできない部分があって、そこを補充したら急激にできるようになったという例はいくらでもある。だから、心配はいりません。

私は、たくさんの学校から講座を持つようにお誘いをいただいていますが、ほとんど断ってしまっています。川北にどうして来たかというと、校長先生と教頭先生とのご縁も大きいんだけども、この学校はほんとうに教育について考えているからです。将来みなさんが生きていくうえで役に立つ、リベラルアーツを前面に打ち出した教育と、受験対策という教育との両立を考えています。さらに部活をしっかりやるというところもいい。

学校というところは、校長先生や教頭先生のキャラクターと強く関係があります。どういう方向性を示すかによって、学校のカラーが出てくる。私はいま、日本の教育がこの先大変なことになるから、なんとかしないといけないと思っています。校長先生と教頭先生のお考えは、私の方向性と一致しています。

まずはこの講座に3日間付き合ってください。人間には波長というものがあるし、みなさんの価値観に合うかどうかもあると思います。その中で、教養を身につけながら、大学受験という自分の出口を見つけようと思う人がいるなら、大歓迎です。みなさんがちゃんと出口から出られるように伴走するから心配しないで。

生徒：今日読んだところを理解できなかったので、これからの講義を受けても追いつけない気がしたんですが……。

大丈夫、追いつけるようにする。みなさんが追いつけないときには、責任はこちらにあります。理解できるようにていねいに読んでいきますから。逆に、もし一読して分かるような本だったら、わざわざ集まって読み解く必要はないんだよ。逆に集まってもぜんぜん分からないような本も選んでいません。そのバランスを考えて、この本を選びました。

『光の子と闇の子』は1944年に出版されて、いまも生きている本です。邦訳の新しい版は一昨年に刊行されました。75年前の本が2年前に新装版で刊行されているわけ。つまりこの本は75年くらい生きているんです。読んですぐに役立つ知識は、そのうちすぐに役に立たなくなる。75年も生きている知識なら、あなたたちが私みたいな60歳になったときにも、十分役に立つはず。45年後に、高校1年から2年の春に学んだことが生きたなあと振り返るようになると思います。

それからもうひとつ、長い人生で見たときに、40代半ばはひとつのポイントになります。それを過ぎると、新しいことが自分のなかに入らなくなってくる。そのあとに転職とかするとけっこう大変。それまでに培ってきた得意分野を伸ばすこと以外はできなくなる、というのが私の仮説です。いまみなさんは、ものすごく吸収力が高い状態です。分からないという反発と不安も、吸収する余地があるから感じるわけです。分からないことを乗り越えてみると、グッと伸びるはずです。

世界史と倫理については、ぜひ自分の陣地をつくってほしい。センター試験はほとんどの受験生が受けますが、世界史と倫理の完璧な陣地をつくって偏差値70くらいとれるようにしておくと、英語や国語や理科などのほかの分野でも伸ばしていくことができる。その陣地づくりのためのフックをつくりたいなと思っています。

高校で習う倫理や世界史の授業内容は、大学やあるいは大学院でさえも実質は同じです。大きな違いは、なぜそうなるのか、どんなことが背景にあるのかについての知識を教えるかどうか。そこまで考えることで、大学など高等教育のレベルになるわけだね。一方、歴史の成果物をとりあえず覚えておきましょう、というのが高校で学ぶことなんだ。

受験への対策と、教養を身につけることとは、嚙み合う部分がかなりある。私は高校生のころは学校の勉強が嫌で嫌で仕方なかった。だから自分で本ばかり読んでいて、学校のなかでも授業にそっぽを向いて知的なものに飢えて歩いていた。その分のハンディは大学に入ってから矯正せざるを得なくなりました。たまたま入った大学（同志社大学神学部）との相性が良くて、学生に厳しく勉強させる校風だったからよかったものの、別の学校に入っていたらひねくれて終わりだったかもしれない。私の周辺にも、そういうふうにひねくれたまま残りの人生を送っちゃう人もけっこういました。高校時代に勉強にどのように向き合うか、そしてどのように教養を身につけるかは、ひじょうに重要なんです。

逆に、教養を身につけないで勉強ばかりやっていると、大学に入ってからやる気がなくなります。あるいは大学に入ってからいかにして金儲けできるところに行こうか、そういうことばかりを考えるようになってしまう。そういう人は結果的にそれほどお金儲けすらできないものです。こういうさまざまな逆説は、教養というものと深い関係があります。

それから、読んでむずかしいことを気にしている人がいたけど、大丈夫、ちゃんと理解できてるよ。自己の能力を過小評価しないでね。

小テスト1（歴史・数学）解答例

1. 以下の出来事の年号を記せ。

(1)	ウェストファリア条約	1648年
(2)	第一次世界大戦勃発	1914年
(3)	第二次世界大戦勃発	1939年
(4)	真珠湾攻撃	1941年
(5)	広島・長崎への原爆投下	1945年
(6)	サンフランシスコ平和条約の発効	1952年
(7)	ソ連崩壊	1991年
(8)	ロシア社会主義革命	1917年
(9)	9・11米国同時多発テロ	2001年
(10)	明治維新	1868年

2. 整数に関して、任意の偶数と任意の奇数を足すと必ず奇数になることを証明せよ。

m、nを任意の整数とすると、偶数は2m、奇数は2n+1で表せる。これを足すと2m+2n+1、すなわち2（m+n）+1となる。2（m+n）は必ず偶数になるので、2（m+n）+1は奇数。すなわち任意の偶数と奇数を足すと、必ず奇数になる。

第2講

デモクラシーの起源

ニーバーとはどういう人か

この3日間の時間割は、大学方式で行うからね。90分授業、15分休憩にする。この学校は普段55分授業だっけ。55分と90分というのは、時間としては倍にはならなくても、伝えられる情報量が実は倍以上になる。

今日から早速、『光の子と闇の子』を読んでいこう。でもさ、正直なところ、難しくて、ほとんどわからないのが実態でしょ。なんでわからないと思う？

生徒：難しい言葉が多いから。

難しい言葉が多いよね。難しい本を読むことは、英語と数学の勉強と一緒なんだ。いくつかの言葉を、ちゃんと理解して積み重ねていく必要がある。難しい本を読むときは、まずどこから読んだらいいでしょうか。君たちは、ラインホールド・ニーバーがどういう人か知ってる？

生徒：知りません。

ではラインホールド・ニーバーがどんな人なのか、まずは解説を読んだほうがいいよね。213ページの解説を読んでみよう。

ニーバー、ラインホールド Reinhold Niebuhr（1892〜1971）アメリカのプロテスタント神学者、倫理学者。ドイツ移民ルター派系（エバンジェリカル派、今はコングリゲーショナル派などと合同教会をつくる）の牧師の子としてミズーリ州ライト・シティに生まれ、同派のエルムハースト大学、イーデン神学大学を経て、イェール大学神学大学院に学ぶ。

（本文213頁）

ところで、「倫理」ってなんでしょう。

生徒：わからないです。

わからないときはどうする？

生徒：調べる。

どうやって調べたらいい？

生徒：辞書。

なんの辞書持ってきた？

生徒：電子辞書です。

みんなにおすすめしたいのは『広辞苑』という辞書です。分厚いけれど、辞書と百科事典を兼ねている。たぶん高校の図書館に入っていると思うよ。あるいはお父さんお母さんに交渉して買ってもらってもいい。古本だったら、500円から1000円で買えるから。新しいのでも古いものでも内容はたいして変わらないからね。広辞苑は高校レベルできちんとマスターしておいたほうがいい。

私が持っている『広辞苑』で調べてみて、それでも足りないなと思ったら専門辞典が必要。私が持っているのは岩波書店から出ている『哲学・思想事典』だ。ここまで行くと大学レベルの内容が書いてある。では、「倫理」は辞書になんと書いてある？

［倫理］①人倫のみち。実際道徳の規範となる原理。道徳。②倫理学の略。
［倫理学］社会的存在としての人間の間での共存の規範・原理を考究する学問。倫理の原理に関しては大きく二つの立場がある。一つは、これをア・プリオリな永遠不変のものとみる立場で、プラトンやカントがその代表。他は、これを社会的合意による歴史的発展的なものとみる立場で、アリストテレスや近現代の英米系の倫理思想の多くがこれに属する。

ア・プリオリ（a priori）というのは、もともと決まっているということ。事前的という意味がある。もともと倫理や道徳は決まっているんだよという考え方があるんだ。「倫理」というのは、「道徳」と同じようなことだと、とりあえず今は考えておけばいい。ニーバーについてもう少し先を読んでいこう。

デトロイトのベセル・エバンジェリカル教会牧師（1915～28）として近代産業都市の問題と取り組み、処女作《文明は宗教を必要とするか》（1927）を出版。1928年ニューヨークのユニオン神学大学に招かれ、60年（当時副学長）隠退するまでキリスト教倫理学の教授。ヨーロッパ大陸におこったK・バルトやブルンナーたちの弁証法神学の運動と呼応して、アメリカにおいて〈ネオ・オーソドクシー〉と呼ばれる神学傾向の代表者となった。彼は自己を神学者と呼ばれるのを好まなかったが、基本的立場は弁証法神学者に近く、主著《人間の本性と運命》全2巻（第1巻1941、第2巻1943）は20世紀アメリカの代表的神学書のひとつである。（本文213～4頁）

ニーバーの重要な著作は、日本語で読むことができます。

わからなかったら中学からやり直す

ちなみに、この説明は平凡社の『世界大百科事典』から引用した。『世界大百科事典』や、小学館の『日本大百科全書』（ニッポニカ）は、高校卒業レベルの内容で書かれている。「弁証法神学者」なんて言葉も出てくるが、これも高校3年生の倫理で習うからね。

高校レベルの政経や倫理、世界史、日本史で教えている内容は、大学や大学院で扱うこととほとんど一緒だ。ただ、高校の教科書では「○○が起こりました」と書いているだけだけど、大学ではなぜそうなったのか、実は別の考え方もあるのでは、と様々な方向から考察していく。大学でやることと高校でやることの土台は基本的に一緒だ。高校で習うことって、結構難しいんだよ。

それから、数学に関しては、文系に進む予定でも、経済学や社会学を専攻する人はぜひ数Ⅲを勉強してほしい。数Ⅲで出てくる「極限」や「統計処理」は、大学ではマストな勉強だ。

高校の段階で分かっていないと、大学に入ってからすごく苦労する。「高大接続」という問題があるので、これも頭の片隅で覚えておいてね。

それ以前に「中高接続」の問題もある。私は浦和高校でも教えているし、灘高の生徒たちと意見交換をしている。そこでもやはり「中高接続」の問題を感じている。

例えば、前回みんなに「任意の偶数と奇数を足した場合、必ず奇数になることを証明しろ」という問題をやってもらいました。みんな引っかかったよね。どうして？　2nと2n＋1にしちゃったからだ。こうすると、4と5とか、8と9のような連続数の場合しか証明できないよね。2nと2m＋1でやらないといけない。

じゃあ、なんで川北（川口北高校）に入るレベルの君たちでも、9割以上がこれを間違えてしまうのか。中学校の勉強方法に、原因があるからだ。中学生の時を思い出してみて。授業では教科書を問題集的に使ってなかった？　本文で使われている証明を自分ではやらずに、章末の文章問題を解いていくスタイルで勉強していたんじゃないかな。証明とはどんなことなのか、例示と証明はどう違うのか、そういった数学の基本的な考え方が疎かになっていなかった？　なぜ偶数と奇数を足したら奇数になるのかは、計算力とは違って、数学的な考え方の土台になる。そこが揺れていると、その上にレンガを積み立てて家をつくろうとしてもガタッと崩れてしまう。だからみんな数学の成績が伸びないと悩んでしまうんだ。

とりあえず青チャートを覚えて、それを復元するような暗記数学でやり続けていると、特に再来年（２０２１年）から大学入試が変わるから、暗記だけでは対応できなくなるだろう。教科書を丁寧にやることがすごく重要なんだ。数学に不安があるときは、ぜひ数学の先生に相談してみて。中学段階で自分の知識になにか欠損がないか、先生だったらチェックできるから。中学段階で躓きやすいのは、証明や図形だからね。特に図形に不安があると、高校の三角関数もわからない。中学のころからやり直して補強すると、すぐに数学は伸びる。

オプティミズムとペシミズム

さて、続きを読んでいこう。

彼はしかし教理を研究の対象とするよりは、キリスト教のもつ諸洞察の現代的妥当性を明らかにし、その観点から当時のアメリカのリベラリズムやオプティミズムを批判した。（本文２１４頁）

「オプティミズム（optimism）」って日本語にするとなに？

生徒：わかりません。

調べてみよう。

あと、ノートの取り方についても今から教えるよ。今回、新しいノートを用意してほしいとお願いしたね。きれいなノートをつくるのではなく、メモの取り方の練習をしてほしい。聞いたこと全部を書く必要はない。それでは話が聞けなくなってしまうからね。ポイントになるところをノートに書こう。

例えば、さっきの話だと、「数学の勉強の仕方」「2nと2m＋1」「中学でわからないときは、数学の先生に相談」とかね。人間が記憶を保持できるのは、せいぜい15秒だ。その次は3分たつと消えてしまう。でもノートでメモしておくと見出しになって、実は頭に残っていた記憶がよみがえるんだ。

はい、ではオプティミズムはどういう意味でしょう。辞書で調べてみて。

生徒：「楽天主義」。

楽天主義、もしくは楽観主義。具体的に楽観主義を使って例文を作ってみよう。

「彼はこの前の模試で志望校の判定がEでしたが、『E判定はいい判定だ』と言って、おれは頑張れば大丈夫だろうと言った。根拠のない楽観主義を持っている」とかね。こういうときに使う。楽観主義とは「うまくいくだろうと思うこと」ね。では楽観の反対はなに？

生徒：悲観。

そう。悲観主義。楽観主義の反対は悲観主義で、英語では「ペシミズム(pessimism)」になる。オプティミズムは楽観主義、ペシミズムは悲観主義ね。はい、先を読んで。

その立場は〈キリスト教的現実主義〉と呼ばれ、出世作《道徳的人間と非道徳的社会》（1932）で強力に打ち出された。その影響はキリスト教界を超えて一般知的世界とくに政治学界に及び、G・F・ケナンやモーゲンソーやシュレジンジャーら今日のいわゆる〈現実主義者〉たちすべての〈父〉と見られるに至った。第二次大戦後はアメリカ国務省の政策立案委員会の顧問として内外政策の方向づけに影響を与えた。ニーバーはバルトやティリヒとともに20世紀の代表的神学者であるだけでなく、その世俗的世界に対する広範な影響において比類のないキリスト教思想家である。（本文214頁）

この『道徳的人間と非道徳的社会』は邦訳も出版されている。個人としていい人であっても、社会構造が悪い状態では悪い人になってしまうという考えが書かれているんだ。たとえば海賊船を考えてみよう。海賊船は掠奪などの悪いことをしているわけだけど、そこで自分の仕事に従事している人はいい人かもしれない。一生懸命仕事をする人であればあるほど、いい人であればあるほど、海賊行為に加担することになるというわけだ。

例えをもう少し私たちに引き寄せてみよう。ある人が暴力団事務所の会計係をしているとしよう。帳簿をつけて一生懸命仕事をしている。その暴力団は人身売買をしたり麻薬の売買で利益を上げていたりする。会計帳簿をつける仕事はまったく悪いことではない。ところが全体の構造のなかで考えると、その人は悪いことに加担していることになる。こういう構造に目を向けろと唱えた本です。

理想主義と現実主義

ここで「現実主義者」という言葉が出てきた。アメリカの外交を考える時、二つの考え方がある。一つは理想主義。自由や民主主義の理想をみんなが持つべきだと考える。そうすると、北朝鮮なんかどう？　自由とか民主主義の国かな？

生徒：全然。独裁的。

あるいはサウジアラビアは？

生徒：自由。

自由かな？　サウジアラビアで泥棒したらどうなると思う。

生徒：死刑ですか。

一回では死刑にならない。例えばコンビニでチューインガムを万引きしたらどうなると思う？　一回目は？

生徒：注意する？

違う、右手を切るの。二回目は左足を切る。三回目は死刑。いきなり死刑にせずに三回チャンスをくれるんだね。でもさ、万引きは悪いことだけど、それで腕を切るのはどうかな？

生徒：悪いことだと思う。

うん。やりすぎだよね。人権の基準や、自由や民主主義に照らしておかしい。理想主義に立つと、そんなおかしいことをしている外国をどうするだろうか。

生徒：そういう国は、周りの目から冷たい目で見られる。

でもそれだけじゃ変わらないよね。どうするか。圧力をかけて変えさせる。情況によっては軍隊を送ってそういう政権をつぶす。これが理想主義の考え方だ。自分たちの価値観でやりましょうと、圧力をかけるんだね。

日本も無関係じゃないんだよ。例えば、日本にはチーズに関税がかかっている。ヨーロッパのチーズは高くてなかなか入ってこない。でも、外国からのチーズが安く入ってくると、日本の酪農家などチーズをつくっている人たちは非常に困る。それでも、関税を減らして、自由に貿易できるようにする「自由貿易」はひとつの普遍的価値観だ。これは一つの理想主義といえる。理想主義は、普遍的な価値観、どこでも通じるような価値観を重視するんだ。

これに対して「現実主義」とはなにか。北朝鮮のように原爆やミサイルを勝手に作っている国があるよね。それをつぶそうと思ったら戦争になって、何百万人もの人が死ぬ。国内では人権弾圧をしている国であっても、核兵器さえ作らなければいい。仲良くして、棲み分けをしましょうと考える。こういうのが現実主義だ。

アメリカの外交においては、理想主義と現実主義の考え方が両方ある。伝統的には、理想主義が民主党、現実主義が共和党、という分け方ができるが、ニーバーは民主党と共和党の双方に影響を与えることになる。

アメリカ歴代大統領が言及する人物

では原書の英文を読んで行こう。

"I love him. He's one of my favorite philosophers." President Barack Obama

（2011年版 "The Children of Light and the Children of Darkness"（以下「原書」）、表紙より）

訳して。

生徒：私は彼を愛している。

「私は彼を愛している」というのは、なんか強いよな。「私は彼を好きです」くらいでいい。日本だと、like が「好き」で、love が「愛している」だけど、必ずしもそうではない。love でも「好き」だと訳した方がいい場合が沢山あるよ。分からない単語があったら聞いてね。

生徒：philosophy

哲学。philoはギリシア語で「愛する」という意味だ。
この機会に、ギリシア語には「愛」が3つあることを覚えておこう。この「愛」というのは明治時代の人によくわからなかった。日本語の「愛」は仏教の仏典からきていて、「物に対する執着」という意味がある。日本語の「愛」は「男女間の愛情」の意味がある。でもギリシア語においては、愛のうちの一つにすぎない。男女間の愛情は、「エロース」だ。エロースといったら何を想像する。

生徒：エロース……エロ……

風俗街みたいな雰囲気？

生徒：そうですね。

エロースというのは、自分にはない欠けているものへの憧れだ。女性には男性にないものがあるし、男性には女性にないものがあり、お互いに惹かれあう。欠けているものに抱く憧れだから、「自分にこれが欠けているからほしい」と思うのもエロースだ。必ずしも、セックスというわけではない。何かが欲しいと思って一生懸命頑張るのがエロース。日本語の「愛」にはそのエロースという言葉しかない。

しかしギリシア語には、「アガペー」という「愛」もある。見返りを求めずに、誰かに何かをしてあげる。例えば、君たちの両親。お母さんの赤ちゃんに対する姿勢というのは、別に赤ちゃんから見返りを求めているわけではない。そういう無償の愛を「アガペー」という。イエス様がみんなを愛しているというときに出てくる「愛」はアガペーである。ここまでは、倫理の先生が説明してくれる。

でもギリシアには三番目の「愛」があるんだ。友情の愛である「フィリア」だ。お互いが違うことを尊重し合って愛するということ。フィロソフィのphiloはこの愛であり、友情だ。sophyは知恵のこと。つまり、知恵を友達みたいに好きになることだ。フィロソフィは日本語では「哲学」という難しい訳語にしているけれど、要は勉強と友達になることなんだ。

模試の偏差値で分けられたり、学校の成績で順位をつけられると、上位の人は気持ちがいい、でも半分より下だとうんと不愉快だし、300番以下ならやる気がなくなってしまう。そうしたら、学問と友達になれる？　そんなやつとは友達になりたくないと思っちゃうでしょ。だから、哲学が欠けるような勉強の仕方をしてしまうとよくない。勉強と友達になることが重要だからね。

3日間を通じて僕が皆さんに言いたいのは、勉強と友達になってほしいってこと。少しでも勉強と友達になれたらいいよね。では訳してみて。

生徒：彼は私の好きな哲学者のひとりである。バラク・オバマ大統領。

アメリカの前の大統領だよね。オバマ前大統領はニーバーをひじょうに尊敬していた。トランプさんとはだいぶ雰囲気が違う。私が知っている限り、トランプさんがニーバーの話をしたことはないけれども、その前のブッシュさんも、ケネディさんも、ニクソンさんも、みんなニーバーに言及している。ニーバーは、アメリカの歴代大統領が言及する政治学者のひとりなの。それであるにもかかわらず、日本ではほとんど知られていない。アメリカのことを日本人がよくわからないのは、ニーバーを知らないからと言ってもいい。

われわれはアメリカをもっとよく知らないといけない。なぜなら、国際政治、国際経済、科学技術の発展などに関して、アメリカを抜きには考えられないからだ。でも、アメリカのことをよく知っている人は意外と少ないんだ、知ってるつもりの人は多いみたいだけどね。アメリカを深く知ることもこの教養講座の大きな目的のひとつです。

もしアメリカに留学する機会があったら、『光の子と闇の子』を読んだと言ってごらん。一目置かれるから。アメリカの知識人だったらみんな知っているからね。

「デモクラシー」と「民主主義」

それでは、ここから本文に入っていこう。まず序文から読んでいきましょう。序文というのは一番最初のページにあるけれども、実際は一番最後に書くことが多い。全部の本を書き終えた後に序文を書くから、序文というのはある意味ではその本全部のまとめでもある。はい、それでは読んでいこう。

本書の内容は、一九四四年一月、カリフォルニア、パラ・アルトのレエランド・スタンフォード大学において、レイモンド・W・ウェスト記念講座の一つとして、講義したものである。(…)

デモクラシーは、近代の歴史において自らが歩みを共にして来た自由主義文化が保証するよりも、はるかに強く正当性を主張するものであり、また、より現実的な擁護を必要としていると私は信ずるものであるが、本書は私のこうした確信より生まれ出たものである。デモクラシーの信条が歴史的に歩みを共にして来た過度に楽観的な人間観および歴史観はデモクラシー社会にとって危険の源である。なぜなら、現代の歴史の経験はこの楽観主義を反駁するものであり、さらにデモクラシーの理想までをも、同様に、反駁しそうに見える危険があるからである。（本文5〜6頁）

「反駁」というのは、反対して論じるという意味。「反論」と近いかな。難しい言葉が出てきたら、他の言葉でどういうふうに言い換えられるか考えてみよう。その上で「反駁」と「反論」はどう違うのか考えよう。まるっきり同じ言葉はありません。似ている言葉に見えても、言葉があるということは、少しだけ意味が違ったり、ニュアンスが違ったりする。国語辞典で引いてみて。

生徒：「他人の意見や攻撃に対して論じ返すこと。反論」。

広辞苑では、「反駁、他人の意見に反対し、その非を論じ攻撃すること。他より受けた非難攻撃に対して、逆に論じ返すこと」とある。つまり単なる「反論」よりも強いし、攻撃的なニュアンスが「反駁」にはある。これはたくさん文章を読んで、文脈の中でだんだん理解していくものだけど、とりあえずわからない言葉が出てきたら辞書を引く習慣をつけておくといいと思う。

難関大学を志望しているんだったら『広辞苑』を使った方がいい。ニュアンスの違いについて調べられるから。

本文に戻ろう。デモクラシーというのは、「民主主義」だよね。なんでカタカナにしているんだと思う。

生徒：日本でいう民主主義と違う定義だから？

そう。違和感を持たせるためにわざとカタカナにしているんだよね。日本にも「大正デモクラシー」というものがあったよね。吉野作造などが出てくる。これは民主主義とは訳されずに「民本主義」と訳された。「民主」と書くと、国の主人が国民みたいだからだ。戦前において国の主人は天皇だと考えていた。国民を大切にするけれども、国民が主人ではないという意味を込めて、デモクラシーを「民本主義」と訳した。

しかしこれは無理がある。ギリシアで出てきたデモクラシーでは王様が想定されていない。それじゃあ、ギリシアの民主主義ってどんなものだっただろう。それでは、世界史の教科書を読んでみよう。20ページ、エーゲ文明のところから、24ページの古代ギリシア文化まで。

第2講

デモクラシーの起源

古代ギリシアの民主主義

前8世紀ごろになると、人々はアクロポリスと呼ばれる丘に神殿を建て、そこを拠点に集住（シュノイキスモス）するようになった。丘のふもとには集会の場としての広場（アゴラ）が設けられた。こうして独自の都市国家（ポリス）が生まれた。（…）人口が増加するとギリシア人は耕地を求めて植民活動を行い、地中海・黒海沿岸に多数の植民市を建設した。ポリスは互いに抗争を繰り返したが、同じギリシア人であるという共通の民族意識を失うことはなかった。

ポリスにははじめ、王がおかれていることが多かったが、のちに貴族による支配が強まった。しかし戦争において重装歩兵の密集隊戦術が優勢になってくると、（…）政治参加を求める平民の声が強まり、参政権を有する市民が登場した。市民は成年男子に限られ、（…）女性、ほかのポリスの出身者、奴隷は政治から排除され、とくに奴隷は本人の意思を無視して市場で売買された。（新詳 世界史B（以下、世界史B）20〜21頁）

王様のいる政治体制が「君主制」です。ちなみに、天皇も国際的には君主だよ。それに対して、貴族が行う政治を「貴族制」という。貴族とはつまりエリートのこと。選挙によって選ばれていない。エリートたちが集団で行う政治が貴族制だ。民衆が政治を行う政治を「民主制」、あるいは「共和制」と呼ぶ。民主主義というのは基本的に共和制と相性がいい。「共和国」は英語でなんて言いますか？

生徒：republic。

Republicanといえば、アメリカの共和党のことだよね。"res"はラテン語で「国」、"republica"は「民衆」なの。「共和国」は「民衆の国」という意味だ。

アテネでは、商工業の発展に伴って貧富の差が拡大し、裕福な貴族が政治を独占する貴族政となったが、（…）貴族と平民の対立は続いた。

前6世紀半ば、貴族出身のペイシストラトスは、平民の支持を受けて非合法的な独裁者（僭主）となり僭主政を樹立した。（…）僭主政が崩壊すると、貴族の特権が否定され民主政が実現された。

（…）古代の民主政は市民全員が参加する直接民主政であった。その後アテネは扇動政治家（デマゴーゴス）にあやつられる衆愚政治におちいり弱体化した。（世界史B　21〜23頁）

時間が経つとモノが腐っていくのと同じように、政治制度も時間が経つと腐っていくとギリシア人は考えた。

君主制が腐ると、僭主制や独裁制になり、貴族制は寡頭制になる。民主制は、衆愚政治になる。対照表をつくってみよう。

君主制↓僭主制
貴族制↓寡頭制
民主制↓衆愚政治

まず君主制で、王様が勝手なことをしだすと、独裁的な僭主制になる。この王様をみんなで抑えようと、次は貴族制になる。でも貴族も腐っていくと、貴族だけが特権を持つのはおかしいから、国民全員で政治をしていこうと民主制になっていく。でも民主制も時間がたつと、みんなが勝手なことを言い出して、まとまらずにバラバラになってしまう。これが衆愚政治だ。そうすると今度は、そこから王政が出てきてまた君主制がはじまる。それでまた時間が経って、独裁に近づいて……とぐるぐる回って繰り返すのが歴史のパターンだ。

人間には理性がある。しかし、人間の理性は信頼できるんだろうか？　みんな、人間の理性は信頼できると思う？

生徒：いいえ。

どうして？

生徒：人間は窮地に追い込まれたときに、どういうことを考えるか分からないからです。

窮地に追い込まれるとめちゃくちゃなことをする人がいるかもしれないということだね。それは厳しく統制したほうがいいという考えにつながる可能性もあるわけだ。人間には理性的ではない人もいるから、その部分を強い力で抑えようとする。つまり理性を信用しないと、専制政治や独裁制につながっていくわけ。

逆に、人間は理性的なのだということを手放しで評価してしまうと、みんなが言いたいことをやりたいことを極めてしまって、めちゃくちゃな大混乱が生じてしまう可能性もある。両方とも危険があるから、上手にバランスをとらなければいけない。これは今の日本においても深刻な問題となっている。

今、「民主主義の危機」なんて言われているよね。日本の民主主義が衆愚政治に近づいているからだ。衆愚政治が続くと、今度は独裁に近づいていく。だから今、安倍政権に権力が集中していて、独裁になるのではないかと政治学者は心配している。そう考える背景には、このような歴史の構造があるからなんだよね。

はい、じゃあ次のペルシア戦争のページを読んで行こう。


前500年、(…)ペルシアは反乱を支援したアテネを含めギリシア全土を服属させるために大軍を派遣し、ペルシア戦争が始まった。前490年のマラトンの戦いでは、アテネの重装歩兵が中心となってペルシア軍を打ち破った。

ギリシアの諸ポリスは、大国ペルシアの侵入を撃退した。中心となって戦ったアテネは、スパルタと並び強国としての地位を確立していった。(世界史B 22頁)

ペルシアは今のイランだ。現在、イランが核兵器を作ろうとして、大変なトラブルになっている。アメリカとイランには国交がない。イランは様々なトラブルの源泉になっているともいえる。

ギリシアやローマが世界を支配する前は、ペルシアが世界帝国だと今でも考えている人も多く、「ペルシア戦争でわれわれは負けたんだけれども、それまでの長い長い間、私たちが世界の支配者だったのだ」という感覚がある。自分たちが大帝国だと思っているからこそ、「イランが決めたゲームのルールに世界は従うべきだ」という主張が出てきたりする。

それからここで「マラトンの戦い」が出てくる。マラトンの戦いがきっかけでできたスポーツがあるんだけど、なにか知っている？

生徒：マラソン？

じゃあ、辞書でマラソンを調べてみよう。

生徒：「陸上競技の一つ。ギリシアの勇士が戦場マラトンからアテナイまで約40キロメートルを走り、戦勝を報じて死んだという故事にちなむ競技。」

マラソンの起源はマラトンの戦いにある。「ギリシアが勝ったぞ」と駆け出し、アテネについて報告したら死んじゃったと。その距離を記念して走る競技がマラソンだ。そう考えていくと、えらい古いことを勉強しているようで、オリンピックとも関係している。古代ギリシアのことを知っておくのは、すごく重要だよ。もう少し続きを読もう。

ギリシア人は、何ものにも隷属しないポリスの自由な気風のなかで、政治弁論・詩作・演劇・体育競技など、すべての領域で個人の能力を競い合うことを好んだ。また彼らの豊かな想像力は、多彩な神話の世界、叙事詩、演劇、哲学などを生み出した。（世界史B 24頁）

なぜギリシアで政治弁論や芸術や演劇やスポーツが発展したのか。働かないからだ。じゃあ誰が働いていたんだと思う？

生徒：市民？

市民は働かない。市民は遊び歩いていた。政治の議論をしたり、音楽をやったり、スポーツをしたりしていた。実際に働いているのは奴隷と女性だった。奴隷と女性を働かせて、平民の男たちは芸術や文化活動やスポーツにいそしむのがギリシアだ。芸術が素晴らしかった一方で、その背後には多くの女性たちや奴隷たちが厳しい状況で働いていた。その上に乗っかっているものだということは、忘れてはいけない。先を読んでいこう。

民主政の発展に伴って弁論が重要な役割を果たすようになると、ソフィストと呼ばれる弁論術の教師が登場した。これに対してソクラテスは、すべての価値を相対化するソフィストを批判し、普遍的・客観的な真理を徳として探求する哲学を説いた。（世界史B 24頁）

ソフィストと哲学者はどこがちがうか？

ソフィストは「詭弁家」とも言われる。ソフィストたちも知恵を扱う。しかし、知恵と友達になろうと思っていないし、愛しているわけではない。だからフィロソフィ、哲学者ではない。ソフィストと哲学者の違いはなんだと思う。ソフィストは、お金儲けのために知を教える。それに対して哲学者は知の伝達自体を目的にしている。

現代に置き換えるとどういうことか。ソフィストに相当するのは受験産業だ。予備校と塾だね。予備校と塾の先生は、教え方が上手いとお金になる。予備校に行くとよくわかるけど、予備校の先生が丁寧に面倒を見るのは、一番上の成績の人ではない。成績最上位の人はなにもしなくても志望校に入るからね。絶対に合格しない下の人でもない。それはやっても無駄だから。予備校がきめ細かく指導したら、合格しそうな人。そういう人の面倒を見て、予備校の合格実績を上げていく。予備校の先生は、生徒の合格した学校に応じて点数が付く。今年○○大学に入れたら3点、○○大学に入れたら2点と。総得点が何点以上だったら来年も雇ってもらえる。何点以上だと給料が上がり、何点以下だとクビになる。

そうすると自分のためだから教え方はうまくなる。しかしここに教育はない。そこを勘違いしてはいけないよ。学校よりも、予備校の方が授業がわかりやすいし、模試の点数は上がるかもしれない。でも予備校を中心に勉強を組み立てて、学校では部活を頑張るようなことをやっていると、上澄みだけの知識を身に着けるだけだ。そんなものは後で役にたたなくなる。

今は一部の私立高校が、ソフィスト化している面もある。難関大学に生徒を入れ、「進学実績がいいよ」と宣伝するんだ。でもそういう学校は、中学の1、2年生の時に数学の出来を見て、すごく出来のいい場合は東大特進クラスに入れて、ちょっと出来のいい人たちはどこか旧帝大に入れる。私立文系の特進クラスは、早慶しか目指さない。私立の文系で数学は全然やらないし、理科もやらないから、授業中に内職してもかまわないし、点を取らなくても単位をくれる。その代わり、3科目だけは集中的にやって成績を上げる。そういう勉強をしても、早稲田と慶應には入れる生徒もいるんだよ。あとはほったらかし。

例えばみんな「ビリギャル」を知っているかな。『学年ビリのギャルが1年で偏差値を40上げて慶應大学に現役合格した話』という本で、映画にもなったね。あれをやるのは実は簡単だ。

ビリギャルの秘密は三つある。一番目はお家にお金があったこと。彼女は私立の一貫校に行っている。学習塾のために生命保険を切り崩したという話が出てくるけれども、塾は1年間で100万円かかり、私立の一貫校は年間80万円もかかることを考えると、年間180万円も子どもに払う経済力が家にあった。

それから、主人公のさやかちゃんは、ギャルスタイルをしているんだけれども、コミュニケーション能力はある。私立の中高一貫校に入っているから小学校の時には受験勉強をしているんだよね。そういう子がどうしてビリギャルになったのか。小学校では成績が良くても、難関の中高一貫に入ったら、成績は真ん中より下になってしまった。だからやる気を失って勉強をぶん投げた。それで5年経ったから、日本列島に4つ島があることもわからないし、東西南北もわからない。本によれば、「学力は小学校4年生程度」だという。それでもコミュニケーション能力があったから、塾のカリキュラムに従うならばいける可能性があった。

三番目はお母さんがモンスターペアレントだから。さやかちゃんがタバコを持っていて、「おたくのお子さんはタバコを持っている」と母親が呼び出された。クラスの別の子が、さやかちゃんがタバコを持っていると密告したらしい。そのときお母さんは「学校は、生徒に密告することを奨励しているんですか」とさんざん暴れてきた。だから学校は思ったわけだよね。この子を辞めさせたら裁判を起こされるかもしれないと。

塾に従ったカリキュラムでやれば、朝の4時か5時までやらないと終わらない。さやかちゃんは、学校では寝ていた。でも今までのようにギャル同士で集まってタバコを吸ったりはしていないから、学校としてはそれでいい。1年ちょっと経ったら出ていくし、早く出ていくからいいと放っておいた。その環境だから、塾のペースに従って勉強できたんだ。慶應のSFCは2科目で受験できるから、入ることができる。

でも、それって、さやかちゃんにとって良かったのかな。そんな勉強で、大学に入って授業についていくのが難しいのだから。私立に入るため、3教科に特化したいと思っても、大学に入って結局は苦労するから、トータルではすごく損をする。

これは大学の問題でもある。学生を取る以上は、出すときに知識を身に着けさせなければいけない。でも現在の大学はそれをやらない。

トータルで考えて、彼女にとって大学受験で慶應に入ったのが本当に幸せだったのか、本当に大学で力がついたのか。

なぜこんなことが起きるのか、日本が「入学歴社会」だからだ。「学歴社会」とはちょっと違う。入った時の大学の偏差値が、その人の能力だと評価される時代が長く続いた。でも今は大学で本当に勉強をした学力が問われる時代になっている。ちゃんと勉強していないと、教員採用試験や国家公務員試験、司法試験には合格しない。

ブルジョアとは何か？

ではテキストに戻ろう。今、デモクラシーを理解してもらうために回り道をした。こういうことをしないで「デモクラシー」という言葉を流して読んでしまうと、よくわからなくなる。重要なところは丁寧にやらないといけない。ゆっくりとやることによって逆に早くやることができるんだ。序文の続きを読んで。

デモクラシーが直面するところの種々の危険を前もって見破り、それを理解するためのみならず、もっと確信をもって、その正当性を主張し得るものを、デモクラシー自体に与えるためにも、現代のデモクラシーにはより現実主義的な哲学的、宗教的根拠が必要である。正義を実行し得る人間の力がデモクラシーを可能にするものであるが、他面、人間の不正に陥りやすい傾向が、デモクラシーを必要とする。(…)

自由社会におけるデモクラシーの方法は、統治者や行政官の権力に抑制を加えて、彼らの権力がやっかいなものになることを防ぐ。拘束なき権力の危険は、デモクラシー社会の長所を絶えず想い起こさせるものである。ことに、ある社会が自由の危険に落ちついていられなくなり、自由を犠牲にして、強制的統一の利を選ぼうとする誘惑を受けるような場合はなおさらのこと、デモクラシーの長所を想い起こすことが大切である。

わが自由主義文化に一貫した楽観主義は、近代のデモクラシー社会をして、自由の危険を正確に評価することをも、不正や圧制に代わる唯一のものとしてのデモクラシーの価値を十分に確かめることをもさせなかったのである。この楽観主義が、人間の本性と歴史との現実の複雑な事実に照らし合わせて制限されない限り、常に感傷が絶望に歩を譲り、極端な楽観主義が、極端な悲観主義にとってかわられる危険がある。（本文7〜8頁）

民主主義はどうも調子が悪くて機能不全になっていると、ニーバーは捉えている。何も決められずに衆愚政治になると、「強い人に全部決めてもらったほうがいい」という考えに陥ってしまうかもしれない。それがどれだけ怖くて危険なことなのか、ニーバーはこの部分で強調しているんだ。

続けて、第一章に入っていこう。

デモクラシーは、過去三、四世紀にわたって、ヨーロッパ文明の中に勃興して来た中産階級の立場を代表するものである限り、「ブルジョア・イデオロギー」である。デモクラシーの理想は大概の場合、われわれが知っているように、中世封建社会の支配階級、すなわち、教会、貴族などを向こうにまわして最後まで戦いぬいて勝利をおさめた商業階級の武器であった。（…）これら中産階級は、経済的自由を強調することによって、重商主義の政治、経済両勢力の結合を破り、さらに、政治的自由の原則によって、自らの新興経済力に選挙権という政治力を付加した。デモクラシー文明の明白な理想と同様、そこに暗に含まれた仮説もまた大いに中産階級の存在の成果であった。たとえば、デモクラシー生活に見られる社会的、歴史的楽観主義は、上昇期にある階級の陥る典型的な幻想であって、自らの階級の進歩を世界の進歩と思いちがいしていたのである。（本文11～12頁）

この中で分からないところはあるかな。まず「ブルジョア」ってなんだろう。「封建社会」、「重商主義」は？　これらはいずれも世界史の教科書で習うよ。まず今の三つの言葉をこの英文から見つけよう。ブルジョアってどんな風に書かれている？　２パラグラフ目の１行目読んでみて。

Democracy is a "bourgeois ideology" in so far as it expresses the typical viewpoints of the middle classes who have risen to power in European civilization in the past three or four centuries.（原書１頁）

（デモクラシーは、過去三、四世紀にわたって、ヨーロッパ文明の中に勃興して来た中産階級の立場を代表するものである限り、「ブルジョア・イデオロギー」である。）

bourgeoisは「市民の」という意味。bourgは城壁のこと、城壁に囲まれた中にいる人たちを「市民」と言った。これは封建領主の秩序とは別で、市民は自分たちで物事を決めることができた。そういう人たちのことを「ブルジョア」と言う。

今「ブルジョア」は金持ちの意味だ。「資本家」とも訳される。マルクスは『共産党宣言』で、「あらゆる歴史は階級闘争の歴史であった」と言っていて、ブルジョアとプロレタリアート、すなわち資本家と賃金労働者との対立を述べた。そこでのブルジョアは、金持ちとか資本家といった意味だね。市民たちが資本主義を起こしてきたから、ブルジョア＝金持ちのイメージが後からついたんだけど、本来は「市民」の意味だ。

民主主義には、あらゆる制度がそうであるように、歴史的にずっと変わらない意味と、一時的な意味があるとニーバーは言っている。この本が書かれたときには共産主義の影響が強かったので、デモクラシーというと「ブルジョア民主主義」といって、民主主義は結局は金持ちにとって利益になるだけのものと考えられていた。選挙においても金持ちなら候補者を広く宣伝できるし、票を買収することだってできる。金持ちの利害に関することであって、デモクラシーは資本主義時代における一時的なものなのではないかという考えがあったんだ。対してニーバーは、それは違うんだ、デモクラシーにはもっと長く保たれてきた意味もある、と言ったわけだ。その意味において、「デモクラシーは、過去三、四世紀にわたって、ヨーロッパ文明の中に勃興して来た中産階級の立場を代表するものである限り、『ブルジョア・イデオロギー』である」と言っているわけだね。

イデオロギーは人間の行動に影響を与える

イデオロギー（ideology）ってどういう意味だと思う？　辞書を引くと「観念体系」なんて書いてあってますますわからなくなる。簡単に説明すると、行動に影響を与える思想のことだ。

イデオロギーには、意識しているものと、意識していないものがある。たとえば共産主義や社会主義のようなイデオロギーはわかりやすく、本人も意識している。でも我々が知らず知らずのうちに持っているイデオロギーもある。例えば、ここに1万円札がある。1万円刷るのにいくらかかると思う。

生徒：100円？

そんなにかからない。22〜24円の間くらい。では、22円から24円なのに、なんでわれわれは1万円分のものが買えるんだろう。よくわからないでしょ。これはイデオロギーだから。実際に22円から24円の紙きれであっても、1万円が道に落ちてたら誰でもひろって、時には自分のものにしてしまう。お金によって自分の欲望が実現するからね。みんなそういう約束だと思いこんでいる。それもイデオロギーだ。

じゃあ、あなたたちが持っているイデオロギーにはどんなものがあるだろうか。例えば、高校入試や大学入試で優秀な人とそうじゃない人をどうやって区別する？

生徒：偏差値。

偏差値は、「集団の中でどれだけ偏っているのか」という指標でしかないよね。学力試験で偏差値を出すけれど、それと人間の能力は関係ない。それでもみんな必死になって偏差値を上げようと、努力するわけだ。自分の学校の偏差値が高いからって他の学校をバカにしたり、偏差値の高い学校に対してなんか嫌な感じだなと思ったりする。これも一つのイデオロギーだ。

こんなのは人間の価値とは関係ないでしょ。本当に理解して習得しているのかどうかが学問の価値だ。全体の中で何番を取っているかは、人間の価値とは全然関係ない。でも価値のように思われる。これはイデオロギーだよね。

あるいは、社会に出ると「出世」のようなイデオロギーがある。子どもの受験に過度に熱中する親がいる。それも一種のイデオロギーだ。イデオロギーはあっちこっちにあると思ってほしい。

次に「封建的」とはどういう意味か。領主とそれに従っている騎士たちがいる。王様と臣下がいるという図式だ。これは江戸時代の日本もそうだ。例えば、大名がいる。その大名に家臣がいる。大名の上には江戸幕府があるよね。でも、江戸の将軍が言うことを、伊達藩の家臣が聞く必要はない。伊達藩の領主との間の関係で言うことを聞けばいいのであって、その上との関係はない。

つまり、校長先生の下に学年主任がいて、その下に担任の先生がいるという指揮系統とは違う。学年主任の言うことは聞いても、その上の校長の言うことは聞かない。中世の時代は、そういう属人的なネットワーク世界なの。だからすごく関係性が複雑なんだよね。我々からすると、封建社会は非常にわかりづらい。とりあえず、わかりづらいということだけわかってくれたらいい。

あともう一つ「重商主義」もある。重商主義という言葉を英文から見つけてみよう。2ページの、7行目から読んでみて。

The middle classes defeated the combination of economic and political power of mercantilism by stressing economic liberty;（原書2頁）

（これら中産階級は、経済的自由を強調することによって、重商主義の政治、経済両勢力の結合を破り）

“mercantilism” これが重商主義だ。超難関大学の入試問題には出る。“liberty” は中堅大学レベルの入試問題に出てくる。重商主義というのは、貿易をして、自分の国の商品を出来るだけ多く売ってそれでお金を稼ぐ考え方だ。国がサポートして輸出を増やす方法を「重商主義」と言う。

それではここで休憩を取りましょう。

コミュニティとは何か？

さぁ、再開しよう。続きを読んで。

一六世紀から一八世紀にかけて誕生し、一九世紀において絶頂に達したブルジョア文明は、二〇世紀に至って、事実上、硬直状態とまでゆかなくとも、今や明らかに重大な危機に直面しているのが現実であるが故に、デモクラシーが中産階級のイデオロギーである限りは、デモクラシーもまた、悲運に直面していることは明らかである。デモクラシーは、中産階級的な特質よりも、より深い次元をもち、また、より広範囲にわたる有効性を持つものであるから、われわれは、デモクラシーが現在直面しているこの悲運を平然と傍観していることは出来ない。理想的には、デモクラシーは永久に有効な社会的、政治的組織の形態であって、あらゆる人間が共通に必要とするものに対して公正であると同様、人間存在の二つの次元であるところの精神性と社会性、生命の独自性と多様性に対しても公正である。ブルジョア・デモクラシーは往々にしてコミュニティを犠牲にしても個人の方に重点をおいて来たのであるが、ブルジョア・デモクラシーが自由を強調するのは、極端な個人尊重主義というようなことを超越した、もっと条理のある理由を持っていたのである。個人が自由を必要とすると同様に、コミュニティも自由を必要としている。個人はブルジョア思想が理解しているよりも遥かにコミュニティを必要としている。それ故にデモクラシーは自由と同一視されてはならない。理想的なデモクラシーの秩序は、自由の諸条件の限界内で統一を求めるのであり、秩序の枠組の中で自由を保つのである。（本文12～13頁）

ここで「コミュニティ」って言葉が出てくる。コミュニティってどういう意味？

生徒：グループ？

グループもコミュニティだけれども、通常どういうふうに使う？　辞書をひいてみよう。

人々が共同体意識をもって共同生活を営む一定の地域、およびその人々の集団。（三省堂大辞林）

共同体には、二種類ある。一つ目はコミュニティ、地縁に結びつくもので、自分が自発的に選ぶことができない。例えば、生まれる地域や家族は選べない。二つ目は「アソシエーション」だ。「結社」と訳す。アソシエーションは、自発的に集まっているグループのことだ。コミュニティの意味を、「グループ」と言ったけど、グループの中にもコミュニティ的なグループとアソシエーション的なグループがある。川口北高校はどっち？

生徒：アソシエーション。

なぜ？

生徒：自分で決めて入ったから。

そう。では中学校は？

生徒：コミュニティ。

そう。違いがわかるでしょう。学校においても、コミュニティとアソシエーションは違う。会社もアソシエーションだね。自発的なのがアソシエーションで、自発的でなく伝統や文化に縛り付けられているものがコミュニティである。

これは1944年の本だからコミュニティ論がまだ発達していない。コミュニティとアソシエーションの意味が分かれていない時代に書かれている本だから、この「コミュニティ」は両方の意味だと思っていい。

じゃあ、プライベートってなんだろう。「プライバシー」と言うよね。

生徒：自分のもの。

そう、自分のものということだ。でもさ、教室に自分の机があるよね。あれは？　君のもの？

生徒：違う。

でも、君が使っていますよね。何が違うんだろう。学校の机の場合は「プライベートデスク」とは言わない。「パーソナルデスク」という。「パーソナル」は自分が占有しているという意味だ。ただし、自分に所有権が属するかどうかは関係ない。一方で、プライベートは自分に所有権がある。学校の机を勝手に捨てるのはダメだけど、自分の家の机は自由に捨てていいよね。

実はプライベートは新しい概念で、歴史は300年ほどしか経っていない。一方でパーソナルには2000年の歴史がある。プライベートは囲い込むという意味で、その中ではなんでも勝手なことをやっていいという考えだ。近代以降に、中産階級の資本主義から生まれてきた概念なんだよね。

人間が群れや社会をつくるとき、そこには様々な規則や掟がある。それと個人の自由との関係をどうするか。そのバランスの取り方が、民主主義（自由主義？）において常に問題になっている。

民主主義についてニーバーは二つの要素があると考えている。ひとつは、近代的な民主主義。資本主義とともに生まれた、ブルジョア的な性格を持っているものだ。もうひとつを知るためには、民主主義の起源をさかのぼる必要がある。民主主義が生まれたのはどこ？

生徒：ギリシア。

そうだね。民主主義は近代だけで生まれたわけではない。昔から続いているものでもある。近代の民主主義が行き詰まったとしても、民主主義が全部だめとは言えない。ニーバーはそう考えているんだ。

第二次世界大戦の構造

民主主義の行き詰まりとはどういうことだろうか。近代とともに生まれた民主主義社会は、結局のところ競争の世界であり、お金をたくさん持っている人が権力を持つ。つまり「ブルジョア・デモクラシー」、お金持ちのデモクラシーであるともいえる。

教育を例にとって考えてみよう。教育は平等であり、みんな受けることができることになっている。でも私立大学医学部の授業料がいくらかわかる？　だいたい年間300万円、医学部は6年制だから6年間で1800万円だよね。そうすると、1800万円の授業料を用意できる家庭と、できない家庭、その間には実質的な格差がある。もし九州大学や東北大学に行けるくらい成績が良かったとしても、九州大学に行くなら下宿しないといけない。その宿代と授業料を親が仕送りできない場合、自活するのはかなり大変だ。偏差値表だけ見て、九州大や東北大に行こうと選べる人と、経済的な条件があるために、自宅通学の範囲でしか進学できない高校生がいる。医学部受験にしても、親がお医者さんの人は、教育費をかけてもらい、有利な状況でお医者さんになる。そしてそれが再生産される。同じ「受験競争」といったって、実質的には平等ではない。表面上の権利があったとしても、お金がある家庭に生まれた子どものほうがスタートの時点から有利だ。

たとえば、このようなブルジョア民主主義が本当に民主主義なのか。もっと格差が拡大すると、高等教育を受けさせられない、義務教育を出すのがやっとだという家庭もある。いくら優秀な子どもがいたって、その子どもには最初からチャンスがない。でもそれでいいの？金持ちだけがいい思いをして？　歴史的にみて、そんな批判が起こってきた。

そこで二つの流れが生まれる。ひとつは共産主義だ。私有財産をなくし、労働者で分配することを考えた。そこからソビエト連邦という国ができた。もうひとつは、ファシズムとナチズムだ。国家が間に入って、金持ちの金を取り上げ、貧乏な人たちに再分配する。さらに、戦争をして外から奪ってきて、自分たちの民族を豊かにしていく。こういう考え方が生まれてくる。

第二次世界大戦の構造とはどういうものか。国家の間で、金持ちの国家と、弱い状況に置かれている国家に分かれていた。我々の能力は同じなのに、構造的に弱い状況に置かれていると考え、それを転換しようとしたのが、ドイツやイタリアであり、日本だった。アメリカやイギリスをはじめとする富める国だけが豊かな状況を、戦争によって変えようとした。これが第二次世界大戦の一つの側面だよね。

このような状況に対して、アメリカは当初「これはヨーロッパのケンカだ」と、関与しない方針だった。「我々は関係ない。ヨーロッパで問題が起きているだけだ」とね。アメリカだけが平和で、アメリカだけが繁栄すればいいと。ところがニーバーは、ナチスドイツのような軍国主義と、アメリカは戦わなければいけないと主張した。ここでニーバーは新約聖書の「光の子」と「闇の子」という分節化を用いる。「光の子」とは神に従う人、「闇の子」とは神に反抗する人のことだ。ニーバーはナチスドイツは「闇の子」であると考える。「闇の子」は、強い者が生き残ればいい、弱い者は宿命だから諦めろ、というような冷たい人間観をしている。民主主義の「光の子」は社会の格差が開いていくことに対して、あまりにも鈍感だ。その点は反省しなければならない。資本主義者がやるべきことをやらなかったから共産主義が生まれてきた。そのため、共産主義も実は光の子だとニーバーは考える。

しかし、それとナチズムとファシズムは根本的に違う。だからこそアメリカはソ連と手を組んで、ナチスドイツを封じ込めなければいけないのだ。ニーバーの主張は当初、「アメリカを戦争に巻き込むのか」と批判されていた。しかし1941年11月7日に日本が真珠湾を攻撃すると「やはりニーバーのいうとおりだ、アメリカが攻撃されてしまったぞ」と風向きが変った。日本だけが問題なのではなく、最大の問題はドイツのナチスなのだと。

この本はそのような文脈の中で書かれた。民主主義が生き残るためには、時には武器を取らなければいけない。絶対平和主義には立たないというのがニーバーの考え方の特徴だ。これはアメリカで普遍性を持つ考え方だといえる。

日本語訳を読みながら英文を読む

デモクラシーが生きながらえるためには、ブルジョア世界の建設のために指導的役割を演じた哲学よりも、より適当な文化的基盤を見いださなければならない。これまでのデモクラティックな実験の基盤をなしてきた前提（presupposition）の不適当さは、ただ単にブルジョア的世界観の過度の個人主義や自由意志論に在るのではない。しかしながら、新興プロレタリア階級が中産階級の生活に見られる誤った個人主義に対して過度の集産主義（collectivism）をもって戦いを挑んでいた全西欧世界に、ブルジョア階級のこの過度の個人主義が市民生活における相剋を促進したのだということは忘れてはならない。（本文15〜16頁）

この文章の部分を英語で読んでみよう。

If democracy is to survive it must find a more adequate cultural basis than the philosophy which has informed the building of the bourgeois world.（原書5〜6頁）

（デモクラシーが生きながらえるためには、ブルジョア世界の建設のために指導的役割を演じた哲学よりも、より適当な文化的基盤を見いださなければならない。）

まず英語でノートに書いてみて、次にこの日本語訳と当てはめてみる。どこがどの単語に対応しているのか見ていこう。そうすると、英語力はすごくつくからね。和訳と対照すると、辞書を引かなくてもいい。本の中でどういう単語を当てているのか、それを把握することが重要だ。日本の語学教育で最大の問題は、単語をきちんと覚えないことだ。辞書を引くのは、指の運動にはなるかもしれないけど、語学力の向上には最初の段階では関係ない。いま学校から指定されている単語帳はなに？

生徒：『英単語ターゲット』です。

ではまず、『ターゲット』を覚えてしまおう。その次に『ＤＵＯ ３・０』を全部覚える。すべての大学入試に対応できるからね。ターゲットは5月までに覚えてしまおう。やるのはまず英和でいい。できれば友達とやる。友達に英単語を言ってもらって、それを日本語で答える。みんなで繰り返して、英和が完全にできるようになるのが先。みんな最初から英和と和英をやろうとするんだけど、和英はすごく難しい。形容詞と名詞は簡単に覚えるけど、動詞はなかなか覚えない。動詞はきちんと覚えてね。そうすると、動詞と結びつく接辞を覚えられる。

そこのところが完璧にできるようになってから、日本語から英語に引っくり返していく練習をするわけ。だから5月までに『ターゲット』の英和を終わらせること。『ターゲット』の英和を終わらせるとともに、『DUO』を買ってきて、『DUO』の英和をはじめるとともに、『ターゲット』の和英を始める。単語の勉強は通学の時にする。それにプラスして、15分から20分でもいいから、友達とペアを作ってお互いでチェックをしあうと、すぐにできるようになる。そういう勉強の仕方は、英語の単語の増強のためにはすごく必要。総合英語の参考書はなにか使っている?

生徒:チャート式です。

チャート式もいい参考書です。私が勧めるのは、残念ながら絶版になったんだけど、『総合英語 Forest』は非常によくできている。『総合英語 Evergreen』もいい。それらの文法書を使って勉強したらいいし、そこが理解できると、駿台の『基本英文700選』がすらすら頭に入ってくるようになるだろう。それができれば、東大・京大を除く難関大までは対応できる。英語は単語をきちんとやっていけば、自分のものになるからね。

いまみんなで読んでいる英文は、日本で一番難しいといわれている東京外国語大学や、東大の二次試験と同じレベルだ。今やっているのは、ほぼ頂点のレベル。だから細かくは訳さない。今のところが分からないのは当たり前だからだ。ただし頂点の英語のレベルがわかっていれば、そこにどうやっていくのか道筋も立てられる。英文の中にわかる単語もあるでしょう。

日本語のきちんとした翻訳を当てはめていけば、英語の読解力がついていく。学ぶことは、真似ることだからね。よい翻訳を使いながら、それをきちんと写していくのも、構文を覚えるときにはすごく重要です。

リベラリズムとリバタリアニズム

The inadequacy of the presuppositions upon which the democratic experiment rests does not consist merely in the excessive individualism and libertarianism of the bourgeois world view（原書6頁）

（これまでのデモクラティックな実験の基盤をなしてきた前提の不適当さは、ただ単にブルジョア的世界観の過度の個人主義や自由意志論に在るのではない）

これは訳を直した方がいい。「自由意志論」となっているけれども、今は「リバタリアニズム」と訳す。実はね、アメリカとイギリスで「リベラル」の意味が違うの。「リベラリズム」ってどういう意味？

生徒：自由主義。

自由ということは、何者からも拘束されないってことだ。それも一つのリベラリズムだけど、ヨーロッパでの使い方です。アメリカで「リベラリズム」と言うと、人びとの自由を保障するために、経済状況や教育の支援を行うことだ。あるいは女性と男性では格差があるから、採用で女性を優遇することで格差を調整する。これは「アファーマティブアクション」と呼ばれる、積極的な格差是正策だ。こういうのがリベラルな考え方とされている。

ヨーロッパ的な、何者からも拘束されない自由についての考え方を、アメリカでは「リバタリアニズム」と呼ぶ。一昔前は「絶対自由主義」と訳されていたけれど、今はカタカナ語で「リバタリアニズム」と訳すことが多い。この翻訳の「自由意志論」というのはちょっと違う。

though it must be noted that this excessive individualism prompted a civil war in the whole western world in which the rising proletarian classes pitted an excessive collectivism against the false individualism of middle-class life.（原書6頁）

（しかしながら、新興プロレタリア階級が中産階級の生活に見られる誤った個人主義に対して過度の集産主義をもって戦いを挑んでいた全西欧世界に、ブルジョア階級のこの過度の個人主義が市民生活における相剋を促進したのだということは忘れてはならない。）

このcollectivismは「集産主義」と訳されている。あまり使われない言葉だ。collectivismが使われるときはどんなときか。ファシズムも企業を国営化するので、ファシズムと共産主義が実は一緒なんだと考える人たちが「collectivism」という言い方で使う。この場合は、共産主義のことを指すと思ってもらえばいい。次は日本語で読んでみよう。

しかし、もっと根本的な誤謬は、ブルジョア・デモクラシーの個人主義や、マルキシズムの集産主義よりは、デモクラシー文明の基盤をなす社会哲学そのものの中にあるのである。その誤謬というのは、ブルジョア理想主義者も、プロレタリア理想主義者もともに、自己本位の個人的利益と一般的利益との間の矛盾および葛藤が容易に解決出来ると確信した点である。近代ブルジョア文明は、カトリックの哲学者たちや中世研究者たちが一般的に主張するように、普遍的法に対する反逆でもなければ、正義の普遍的基準に対する挑戦でもなく、また一般的な社会的調和や国際的調和を達成し保存しようとしてきた歴史に残る諸制度に対する戦いでもない。近代のセキュラリズムは、宗教的理想主義者たちが常に言うように、個人としても集合体としても、ただ単に個人的利益を肯定するための理論づけではない。（原書16～17頁）

セキュラリズムってなんだろう。英文を確認してみよう。

Modern secularism is not, as religious idealists usually aver, merely a rationalization of self-interest, either individual or collective.（原書7頁）

（近代のセキュラリズムは、宗教的理想主義者たちが常に言うように、個人としても集合体としても、ただ単に個人的利益を肯定するための理論づけではない。）

"secularism" を調べてみたらなんて出てくる？

生徒：「非宗教倫理、教育宗教分離主義。世俗性」。

そう。セキュラリズムは「世俗主義」と訳される。ちなみに君たちは、子どものころの記憶はある？　なにか怖いものがあった？

生徒：自分の知らないものが怖かったです。

幽霊が怖いとか？

生徒：知らない人に会うのが怖い。

今も怖い？

生徒：今も怖い。

もう少し違う例がいいな。子どものころ、お化けが怖いとかあるでしょう。『ねないこだれだ』なんかを見ると、怖くなる。でも高校生になるとお化けが怖くなくなる。成長とともに今まで怖いものが怖くなくなっていく。

社会も同様に進歩していくという考え方を「啓蒙主義」と呼ぶ。英語では "enlightenment" だ。ポイントは、"enlight" は光を意味すること。真っ暗い部屋を考えてみよう。ろうそくを1本立てて火をつけたら少し明るくなるでしょう。2本になったら？

生徒：もっと明るくなる。

このように、知恵をどんどんつけていったら、どんどん明るくなって、世の中のことはすべて分かるのだと啓蒙主義は考える。このろうそくの灯りに該当するのが「理性」だ。だから学問を、小学生のころから積み重ねて勉強していくと、世の中の分からないことが分かるようになる。究極的には、人間はすべてのことが理解できるんだと。これが「世俗主義」につながる。

なぜ啓蒙主義は世俗主義につながるのか。啓蒙が進むと、そこに神様はいらなくなる。神様の領域がどんどん少なくなり、人間がすべて人間のことを解決すると考えるのが世俗主義だ。

シニシズムとは何か？

世俗主義には最大の問題点がある。人間はみんな利己主義である点を忘れていることだ。人より成績がよくなりたい。自分の方が人から評価されたい、競争相手に勝ちたいと思う。

ところがチームでやっていこうとすると、それを抑えなきゃいけないでしょ。自分だけが目立ちたい人にはチームプレイができないからね。ひとりひとりの考える、「自分が目立ちたい」「自分が勝ちたい」という感情は簡単に抑えられるんだとみんな思っている。ラグビーでも"One for all, all for one"と言ったりするよな。

でも、そんな簡単じゃないんだぜ、とニーバーは言っている。その思想の根にあるのが「原罪説」の考え方だ。「原罪説」では、人間は生まれながらにして罪(原罪)を持っているという。どんなに善い人であっても、心の中には必ず罪を持っていて、この罪から悪が生まれていく。理性による啓蒙が進むと、理想的な社会は作れるんだという考え方をしていると危険だ。善いことをしていると思いながら、悪事を働いていることに鈍感になり、よりひどい状態になっていくからね。そうニーバーはこの本で訴えている。では、次を読んでいこう。

ナチの野蛮さは、近代の文化生活において単に付随的な調べにすぎず、ごく最近までずっと従属的地位におかれていた道徳嘲笑主義(モーラル・シニシズム)の最後の果実なのである。近代文明は、国民的コミュニティにおいて、伝統的封建制度よりも遥かに広汎な自由を個人に与えようとしたのであり、また、自由を拘束されて動きのとれなくなっていた国々を国際的なつながりを持つ教会(international church)によって自由にしようとしたのである。(…)

自己の意志と権力とを絶対の法則とするマキャヴェリ(Machiavelli)のいわゆる没道徳の「君主」は、近代世界を糾弾するカトリック的論駁の重荷のすべてを負わせられている。マキャヴェリは国際問題に関する数多い道徳嘲笑主義者(moral cynics)の嚆矢と言っていいだろう。しかし、この道徳嘲笑主義も近代自由主義的理想主義の強調した一般的な普遍主義的含意を制約するだけであって、抹殺するものではない。(本文17〜18頁)

「モラルシニシズム」と出てきたよね。シニシズム(cynicism)とはなんだろう。シニシズムは、キニク(Kiniku)学派から生まれた言葉で、キニク学派はギリシア哲学の学派のひとつだ。「キュニコス学派」と引いてみて。

生徒:「キニク学派に同じ」

キニク学派を引いてごらん。

生徒:「アンティステネスを祖とする古代ギリシアの哲学の一派。幸福とは外的な条件に左右されない有徳な生活であるとし、無所有と精神の独立を目指したため反文化的な乞食生活を送る者もいた。犬儒学派」。

ソクラテスの弟子に、アンティステネスという人がいた。この人は、世の中のことには関心なんか一切持つ必要がないと考えた。自分が強い意志を持てば、欲望は克服できる。習慣も文化も、一切無視していい。贅沢な生活をしたり見栄を張ったりすることを意図的に無視した。そうするとどうなるか。君は部活をやっているかな？　なにしてる？

生徒：硬式テニスです。

こういう人ってたまにいない？「へぇ、硬式テニスやってるの？　将来テニスプレイヤーでもなるつもり？　それで将来得するの？」と言う人。一生懸命勉強している人を見て「それで社会に出て、どの程度生涯給料が違うのかな。どうせＡＩ（人工知能）が発達したら、そんなの役に立たなくなるよ」と言う人。よくいるでしょう。ひねくれて世の中を斜めから見ている人。こういう考えをシニシズムという。

本来は、強い意志によって世の中のことに左右されず、自分の考えを深めていくことを指していたはずなのに、現在はみんなが一生懸命やっていることに対して「そんなの意味ないよ。人は勝手に生まれて死んでいくんだから、あとは適当に流れに任せておけばいいんだ」というものに変わった。

今日のゼミだってさ、「春休みに朝から晩まで難しい本を読んで、みんな立派ですねー」と思っている人だっているると思うよ。これもシニシズムだ。

こういったシニシズムが政治に入り込むと、ナチズムになっていく。そうニーバーは考えたんだ。だから世の中を斜めに見たり、部活や勉強を一生懸命している人を馬鹿にする人が増えると、ヒトラーのような人が出てきてしまう土壌をつくることになる。一生懸命を馬鹿にする社会は極めて危ないんだよね。

ナチスの思想は健康志向

この重要な区別をより明瞭にするために、自分の意志や自分の利益以上の律法を認めない道徳的シニックスを、聖書のよび名で「この世の子ら」または「闇の子」と名づけ、私的利益をより高い律法(おきて)のもとに従わせねばならないと信ずる人々を、「光の子」と名づける事としよう。(…)「光の子」とは、私的利益をより普遍的な法則の規律の下におき、より普遍的な善と調和を保たせようと努力する人々だと定義することが出来る。

聖書によれば、「この世の子らは、その時代に対しては、光の子らよりも利口である」。この観測は現代の状態によくあてはまる。わがデモクラシー文明は闇の子らによってではなく、愚かな光の子らによってつくられて来た。デモクラシー文明は、強力な国家は自らの力の上に律法(おきて)を認める必要はないと宣言するところの闇の子ら、すなわち道徳的シニックスたちによって攻撃されつづけて来た。こうした攻撃のもとに、デモクラシー文明は、まったく惨憺たる状態にたちいたろうとしているのであるが、それは、デモクラシー文明が道徳的シニックスたちと同じ信条を甘受したからというのではなくて、個人的にも、集団的にも、近代社会にひそむ私的利益の力を軽く見積りすぎたからである。光の子らは闇の子らほど賢くはなかったのである。（本文19～20頁）

聖書の福音書には、イエス・キリストがどのような行動や発言をしたのかが書いてある。ルカによる福音書の16章の8節に、「この世の子らは、自分の仲間に対して、光の子らよりも賢くふるまっている」と書いてある。「この世の子」というのは「闇の子」のことだ。闇の子の方が光の子よりも、この現実の世界で利口に生きている。どういうことか。ナチスの考えだ。ナチスの時代に障害者はどうなったか。

生徒：差別された？

差別だけでなく殺される場合もあったんだよ。「障害者は社会に有益ではない」とね。劣等な遺伝子だから断絶しなければいけないと。

２０１６年に障害者施設の入居者45人が殺傷された「やまゆり園事件」（相模原障害者施設殺傷事件）が起こった。あれは思想事件だ。犯人は高等教育を受けて、高校教師の免許も持っていた。やまゆり園の入居者を殺す前に、衆議院議長に手紙を書き、「障害者は不幸を作ることしかできません」と、生きている意味のない人を殺すのが社会のためだと、19人もの人間を殺した。インターネット上ではそれを、素晴らしいと書いている人もいる。

それから最近「生涯現役」という言葉をよく聞くよね。これもナチスの思想だ。なぜか。社会の労働に貢献できなくなった人には、生きている価値がない。生きている限り、社会に貢献して働け、働けないなら安楽死を選択しろと言われる。

禁煙、健康診断、胚芽入りのパンを食べる、無着色バターを食べるといった健康志向も、ナチスがはじめたものだ。なぜだろう。自分の身体は自分のものではなく、総統・ヒトラーのものだと考えたからだ。ヒトラーの命令によっていつでも戦えるよう、体を鍛えて病気にならないようにするんだ。

そうした健康診断において、癌をどう考えるか。人間の中に異質な部分があり、それが増えることによって身体に致命的な欠陥があると考える。この癌への考えが、人種にもあてはめられた。ユダヤ人は癌であるから除去しないといけない。ユダヤ人だけではないよ。ロマ人、いわゆる「ジプシー」も癌であるとされた。最初は隔離をして、増殖してはいけないから結婚を禁じて、次に除去をして絶滅させようと考えた。これは癌絶滅の思想とパラレルなんだ。

禁煙と、ユダヤ人を隔離することもパラレルに進んでいった。だから私はいきすぎた嫌煙に批判的だ。国家が特定の価値観を持ち、人を隔離し、区別していく。そうして清潔な世界を国家がつくろうとする。そこには、ナチスと共通するものがある。

もし関心があるんだったら、『健康帝国ナチス』（草思社文庫）という本が出ているから読んでみてほしい。今われわれがやっている健康診断や社会福祉とは根っこの考え方が違う。すべて合理性からナチスの健康診断や社会福祉を考えているんだ。

シニシズムの恐ろしさ

今日本の財政を圧迫しているのはなんだろう。一番は国債費、日本の借金だ。その次が、社会福祉費、そして医療だ。医療費を減らすため、いま日本は必死になっている。財務省の幹部と話したら、とにかく医師会の力が強いのでなかなか進まないといっていた。それでも財政破綻のリスクが高いため、重複している医療をやめさせ、高齢者の自費負担をもっと増やすべきだと考えている。そこから、健康管理を重視する予防医学の重視へつながっている。

これは財政上の理由から出ているが、その発想の源には、経済的な負担がかかる人間は悪い人間、よく働いて税金を納めるのが良い人間という、一種の合理主義がある。行き過ぎると、ナチスのようになってしまう危険性もあるよね。今社会で起こっていることから、このような点を読み取るのがすごく重要だ。

「闇の子」たちはそういった行動を簡単にしてしまう。自分自身が仮に負けることがあっても構わないんだと思っているからだ。どうせ、人は無になって消えてしまう。俺が負けたら、弱かっただけなんだと。

『ヒトラー～最期の12日間～』というドイツ映画がある。ヒトラーが最期、地下壕で過ごした12日間を描いている。負けることが決まったのに、ヒトラーはとても楽しそうだ。ヒトラーは肉を食べない菜食主義者だ。『ヒトラーのテーブル・トーク』(三交社)という本を読むと、「動物でも肉食より、草食のものの方が優れている。ライオンはせいぜい15分しか走れないが、象は8時間も走り続けることが出来る！」と言って、自分の菜食主義について語っている。ヒトラーは今までダイエットをしていた。太りすぎてはいけないと。彼の大好物はチョコレートケーキなんだけど、最期の時期には、そのチョコレートケーキをむしゃむしゃ食べるようになる。所詮ドイツ人は弱かったから滅びる宿命なんだろうと、すごい楽しそうに宴会をする。今まで「自分は国家と結婚しているから」と結婚していなかったんだけど、いつも隣にいた愛人のエーファ・ブラウンという人と結婚式を挙げる。

ヒトラーはブロンディというメスのシェパード犬をかわいがっていた。そのシェパード犬が防空壕の中で赤ちゃんを産んだので、子犬たちも非常にかわいがっていた。ソ連軍がすぐそばにきて一日持たないということになったら、その母犬と子犬を毒で殺す。それで最期の日には奥さんを殺して、それで自分も毒を飲んで拳銃で自殺して、その死体をガソリンで完全に焼いてもらい、消えてしまった。映画はこのヒトラーの姿をすごくリアルに描いている。こういう態度が「シニシズム」なんだよね。

よく政治家で「命を懸けて政治をする」と言う人がいる。だけど私は、全然評価できないと思う。ヒトラーだって命がけだったんだから。実際に自分の理念に命をささげている。そんなことなんて基準にならないんだよ。

「どうでもいい、死んだらなんにもなくなっちゃうんだから」と思ってしまうシニシズムはすごく怖い。

欧米文化の基礎になる考え方

ヨーロッパやアメリカはキリスト教文明の国だと言われるけれども、キリスト教自体はアラブ諸国にもある。エジプトだってクリスチャンが大勢いる。いろんなキリスト教がある。ロシアは欧米とは少し違う国だと感じているでしょう。でも学校の教科書を読んでいるだけでは、前提がよくわからないよね。

ヨーロッパは西ヨーロッパが作っている。その西ヨーロッパからアメリカは生まれた。欧米文化の基礎になる考え方を簡単に説明したいと思う。

ラテン語には「コルプス・クリスチアヌム」(corpus christianum) キリスト教共同体という考え方があり、そこには三つの要素がある。

1　ユダヤ・キリスト教の一神教の伝統(ヘブライズム)

2　ギリシア古典哲学の伝統(ヘレニズム)

3　ローマ法の伝統(ラティニズム)

まずは、ユダヤ教、キリスト教にはこの世を全部つくった神様がいる。地球も人間もこの神様によってつくられたというのが、信仰の伝統だ。ところで、日本の神話では日本の国ってどういう風にできたかな。

生徒：神様がかき混ぜて。

そう。かき混ぜて混沌としたところから島が生まれた。じゃあ、仏教ってどういう風になっている。仏教では宇宙ってどうやってできた？

生徒：わからないです。

そこに仏教の面白さがあるよね。仏教はそういったことを説明しないし、知らなくてもなんとも思わない。

仏教は世界のはじまりをこう説明している。なんにもないところに風が吹いてきた。「有情の業」と言う。風が吹いているでしょ。風の上に水がたまってくる。水がたまってくるとその上に牛乳を沸かしたときのような膜ができた。これを金輪という。「金輪際お前と付き合わない」というときの金輪はそこからきている。秩序をつくる基本的な板ね。その上に海が出来る。そこにダダダダッと非常に高い山ができる。これを「須弥山（しゅみせん）」と言う。上からみると四つの世界があって、我々はそのひとつに住んでいる。ヒマラヤがあって、インドがある。この世界の一番上に、天人・天女が生まれた。その次に人間が生まれる。その次にいつもケンカだけをしている修羅が生まれる。その下に餓鬼が生まれる。その下に畜生という動物が生まれ、その下に地獄ができた。これがだんだん崩れていって何もなくなってしまうと、新しいところで風が起きる。無数の風の宇宙が交代で出来ているという考え方だ。だから誰かが世界をつくったという発想がない。

これは仏教の経典の中の説一切有部の中の、「阿毘達磨倶舎論」に書いてあるものだ。仏教を専門にやった人しかわからない。重要なのは、仏教の考え方では、どうやって宇宙ができたのかを重要視していないことだ。でもヨーロッパ人はそういうことを考えざるを得ないわけだ。

二番目はギリシア古典哲学の伝統だ。現代の哲学のものの見方や考え方の根は、全部ギリシアにある。ギリシアの考え方を少しずつ変えていったのが現代の哲学なんだ。

三番目がローマ法の伝統。例えば、約束したことを守らなければいけない。これはローマの考え方だ。ギリシアは違う。「口先では誓ったけれども、心は誓いに囚われていない」というのは、ギリシアでは認められる。ギリシア悲劇の中にあるからね。約束はしたけど心は違うんだということがギリシアでは認められる。あと、先に決められたことと、後から決めたことがあれば、後から決めたことに従わないといけない。これもすべてローマ法の規則なんだ。近代の法律は、ローマ法の考えを基準にして出来ているといえる。

カトリック教会はキリスト教の伝統を、ギリシア古典哲学とローマ法を合わせた形で一つのシステムにした。これは今でも欧米文明の根本を形作っている。ところが、日本人にはユダヤ・キリスト教の伝統も、ギリシア古典哲学の伝統もないでしょ。ひと昔前までは「大学で哲学をやる」なんて言ったら、親は自殺するんじゃないかと心配したからね。昔に哲学を勉強した青年が「煩悶青年」と言われ、華厳の滝に飛び降りて自殺したことがあった。それから、「哲学をやったら自殺する」なんてことが言われるようになったんだ。

日本の国立大学には神学部はない。ヨーロッパの大学で神学部がない大学はユニバーシティと名乗れなかった。今でもドイツとイギリスの大学では、ユニバーシティと言われる総合大学には全部神学部がある。ヨーロッパでは実学とは別の学問を重視しているんだ。

でも、ローマ法の伝統は日本で生きている。日本で最初にできた東京帝国大学には法学部があった。法学部の根っこの考え方はローマ法だ。日本はローマ法は得意だけれども、宗教と哲学が苦手だと言える。

一方で日本は非常に実学重視だ。世界で一番最初に工学部ができたのは日本の東京帝大だった。私がその話をしたら、東大の佐倉統先生が、ブラジルの大学に東大よりも先にできたらしいと教えてくれたんだけど、いずれにせよ、世界で最初の方にできた。哲学も神学もなく、実学重視。すごく近代的な大学なんだ。

大学にいる間に、一神教と哲学について勉強しておくと、教養をつけることができる。リベラルアーツでは「自由七科」（文法、修辞学、弁証論（論理学）、算術、天文学、幾何学、音楽学）と言うけれども、自由七科をやったあと進むのは、医学か法学か神学しかなかった。世界を支配している欧米諸国の理論の中心には、宗教と哲学があるのに、日本人はそこのあたりが弱い。だからアメリカという国がどのような理屈で動いているのかを分かっている人がほとんどいない。

アメリカ人も上手に説明できないよ。日本人だって「天皇はなぜ生まれ、なぜ元号があるの？」と言われても説明できない。自然のように思っていることは説明できないからね。ちなみに、元号のある国は世界で日本と北朝鮮、台湾だけだ。元号は中華帝国がつくった制度だが、中国本体からはなくなり、その残滓が周辺である北朝鮮と日本と台湾だけに残っている。王様とともに時代が変わる「易姓革命」という中国の考え方からきている。ここのところは漢文の時間で勉強してね。そういうことを総合的につなげて考えていくのがリベラルアーツなんだ。

封建秩序および中世文化に対する近代の反逆は、社会秩序の中に新たな生命力が認められ主張された事、および人類の文化事業に新たな領域が発見された事などによって惹き起こされたものである。この反逆は、それが一つの社会の未完で不十分なユニティや、一つの文化の固定化に対して戦いを挑んだものであり、また、新しい社会的、文化的可能性を発展させたものであったという意味においては、真にデモクラティックであった。中産階級と貴族の間、科学者と聖職者の間の相剋は、闇の子らと光の子らとの相剋ではない。それは敬虔な光の子らと、敬虔さの乏しい光の子らとの相剋だったのであるが、両者ともに人間文化のあらゆる理想的な業績と見せかけの中に、私的利益の堕落のひそんでいることには気づかなかったのである。（本文24頁）

訳者の武田さんは、"conflict"を「相剋」と訳しているけれども、我々の日常的な意味だったら「対立」でもいいと思う。

中世や近代では、科学者と聖職者、中産階級と貴族、といった人たちは対立し、革命も起きた。しかしその対立はあくまで、光の子の中で起きた対立だ。宗教性と世俗性、世俗化を認める人たちと認めない人たちの対立に過ぎない。「人間なんかただ死んでいくんだ」というシニシズムとは違うんだ、とニーバーは言っている。さて、ここまで読んだんだけれども、これだけではわからない。なぜなら宗教改革についての知識が前提とされているからだね。

ちなみにみんな、入試で何を取るの？　日本史が多い？　地理・政経と現代社会と、世界史・日本史と比べると、世界史と日本史のほうが覚えることが多いと言われているけど、それは違うよ。倫理でも政経でも覚えなければいけないことが沢山ある。そしてこれからのセンター試験では得点調整が行われ、科目間の有利不利が減らされる。大学以降の接続を考えるならば、圧倒的に世界史をやっておいた方がいいと私は思う。大学での勉強もそうだし、国際的に活躍することを考えるとね。倫理と政治経済は世界史と日本史の上に立っている、上部の構築物だ。土台は歴史だからね。

カルバン主義が近代を動かしてきた

さて、ここからは神学における「予定説」という考え方を見ていこう。重要なのが宗教改革初期に改革指導者となったカルバンだ。予定説では、救われるかどうかはその人が生まれる前に決まっていると考える。工学的な発想をすると、「自動制御理論」だといえる。飛行機乗ったことある？

飛行機に乗って上空に上がるときと、着陸の瞬間以外、パイロットは操縦しない。目的地を入力し、自動制御装置で飛んでいるんだ。途中に雨雲や嵐があると飛行機は角度と高さを変えるでしょ。多少違うルートでも、必ず目的地にたどり着く。予定論はそのような考え方だ。だから飛行機の自動制御理論は予定論的であるともいえる。

ただ、カルバンの特徴は単なる予定説ではなく、「二重予定説」を唱えたことだ。生まれる前に、選ばれる人と滅びる人が決まっている。これはカルバンの『キリスト教綱要』という本に書いてある。そうすると、生まれる前に選ばれる人、選ばれない人が決まっていたらどういう発想になる？　努力の意味はあるかな。

生徒：意味はない。

そう考えるよね。生まれる前から救われることが決まっているのであれば、努力する必要なんてないからだ。でもこれは、完全に間違えている。もしそのように思うのであれば、その人は「私は選ばれないに決まっている」と思い込んでいる。選ばれる人間は、神様によってあらかじめ選ばれているのだから、努力ができる人間だともいえる。勉強ができる、ビジネスや芸術で成功することもふくめて、それは神様からもらったものだ。自分のものではない。神様から預かっているのだから、神様に返さないといけない。でも神様にダイレクトに返すのは難しいから、他人に返す、社会に返す。自分の力を他者のために使うことが、選ばれた人間の正しいやり方なんだ。

自分に能力があるのは、努力ではない。神様からもらったものだ。だから神様に喜ばれるように、社会にお返しして、還元しないといけない。だから、一番悪い罪は「怠けること」だ。神様からもらった自分の可能性を使っていない。

でも自分が選ばれた人間なのか、本当はわからないよね。選ばれていることがわかるためには、この世の中で成功しなければいけない。そんな強迫観念に駆られることになる。だからプロテスタントでカルバン主義の強いオランダ、ドイツ、スイス、イギリスで資本主義が発展していった。このカルバン主義が近代を突き動かしている原動力ともいえる。

カトリック教会はそれに対して、誰が救われるのかは予定されていないと考えた。正しい行為をしていて、教会にそれが認められると救われるのだと。救われる人は教会が決めている。教会に所属しているのが、救われる条件だ。

つまり「この組織にいれば大丈夫、ここにいたらあなたは幸せになりますよ」というのはカトリック的だ。「救われるかは生まれる前に決まっているからわからない。ただ、あなたは成功しているから、あなたは選ばれている」というのはカルバン主義だ。

基本的に、カルバン主義の人は打たれ強い。一時的に成績が悪い、病気になっても、調子が悪くても「これは試練だ」「この試練にはプラスの意味があるはずだ」と考える。だから努力をするエネルギーが湧いてくる。でも裏返せば「自分勝手で、反省をしない」ともいえる。

それと対極にあるのが、因果律の考え方だ。なにか原因があるから、なにか結果があると考える。これは仏教の考え方だね。現代の学問でいうと心理学だ。心理学では、何かの刺激があり、それに反応をしているんだという因果律で組み立てる。思考の鋳型として、予定説は踏まえておかないといけない。

「原罪」の考え方

わが近代文明は際限なき社会的楽観主義の波に乗せられて来た。近代セキュラリズムは多くの学派に分かれているが、どの学派もすべてキリスト教の原罪説を拒否する点で一致している。この関連において今、原罪説の機微を説明しその深遠さを測ることは出来ないが、原罪説こそ社会理論や政治理論に重要な貢献をするものであり、それなき故にブルジョア理論は真の叡知を失って来たということは特に指摘する必要がある。なぜなら、原罪説の真理は人類歴史の一頁ごとに証拠だてられた事実だからである。（本文25

頁）

では、英文で「原罪」という言葉を探してみよう。

Modern secularism is divided into many schools. But all the various schools agreed in rejecting the Christian doctrine of original sin.

（近代セキュラリズムは多くの学派に分かれているが、どの学派もすべてキリスト教の原罪説を拒否する点で一致している。）

この“original sin”が原罪だね。じゃあ、この「罪」ってなんだと思う？

生徒：犯罪？

それはね、“crime”であって、罪ではない。法律のような規則があって、それに反することがcrimeだ。sinはcrimeとは違う。犯罪でなくても、罪になることは沢山あるよね。

生徒：嘘をつくとか。

そう。それについて扱った小説がある。日本人にとって罪とは何か？を真剣に考えだしたのは、明治時代になって夏目漱石がある小説を書いたのがきっかけだ。その小説ってなんだろう?

生徒:『こころ』。

「こころ」ってどういう話? 読んだことない人はぜひ読んでみてください。

簡単に筋を話すと、「私」は偶然鎌倉で出会った「先生」という人が気になるわけ。私はこの先生を非常に慕っている。先生は仕事に就いているわけではないけれども、物事を非常によく知っている。東京大学を出たらしい。でも先生はひっそりとしていて、世の中から隠れて住んでいるような影がある。そして先生は時々、お墓参りをしている。ある時、「私」が実家に帰ったら、先生から長い手紙がくる。その手紙には、先生が自殺することが書いてあった。ちょうど明治時代が終わる時で、「明治の精神とともに殉じる」、つまり明治天皇が亡くなったから自分もそれに合わせて自殺すると書いている。その中で、先生は「罪」の告白をする。自分には若いころに親友がいて、その親友と同じところに下宿していたが、下宿先の娘さんのことが二人とも好きになってしまった。でもあるとき、親友に、実は娘さんのことが好きなんだと告白される。でも先生は、「お前、そんなことで悩んでいたのか、向上心がないのは馬鹿者だ」と言って、親友にさげすむようなことを言った。そうしたら友達は悩んでしまう。ところが、先生はそのお母さんのところに行って「娘さんをお嫁さんにしたい」と抜け駆けしちゃうわけ。その報告を聞いた友達は「それは良かったですね」と言って、しばらくして自殺した。遺書があるけれど、その友達は恨み事を何一つ書いていなかった。先生の奥さんは何も知らないし、先生はそのことをずっと黙っていた。でもそのことを抱えながら生きてきた。

先生がやったことは犯罪ではない。でも恋愛を通して犯した「罪」をずっと抱えてきた。日本人はこの小説を読んで「これが欧米の罪なのか」と考えたわけだ。

ヨーロッパにおいては、どんなにいい人でも生まれながらにして罪をもっていると考える。罪は、それが形になると「悪」になる。悪が人格化すると「悪魔」になる。だから悪魔は欧米の人にとって実際にいるものなんだ。日本人が想像するような、しっぽが生えているものではない。悪が人格化していると「悪魔」なのだから、欧米人の中に「悪魔」はごく普通にいる。悪魔がいるのであれば倒さなければいけない。だから「サダム・フセインは悪魔だ」という言われ方がされる。

このように、人間は絶対的に正しい存在ではない、という考えがキリスト教には埋め込まれてきた。けれども、近代になり、世俗化するにしたがって、絶対に正しいことはある、人間の理性は絶対に信用できる、理性の通りに理想的な社会ができて、人類は発展するだろうと考えるようになってきた。

その考え方が崩れてしまうきっかけになったのが、１９１４年の第一次世界大戦です。

第一次世界大戦まで、人類は理性の力で理想的な社会をつくれるだろうと思っていた。ところが、第一次世界大戦が起きてしまうと、大量破壊と大量殺戮が起きた。人間の理性は信用することができなかった。そう考えたとき、もう一度「原罪」の考え方を見直さなければならないという機運が、哲学や思想、宗教においてもすごく強くなったんだ。

それとともに、「人間は強いものが生き残って、なんの目的もなく、ただ生まれ、ただ死んでいくだけだ」というシニシズムの考え方が、ナチズムから生まれてくる。その根っこにあるのが「原罪」をどう捉えるのか？という大きな問題だ。

二度とナチスを生み出さないために

本質的に善なる人間が、何故、腐敗した専制的政治組織や、搾取的な経済組織や、狂信的にして迷信的な宗教組織を生み出す事が出来たのか、という事はどの学派も追及しようとしない。

人間の社会史が示すこの明白な悲劇的事実に対して、執拗に目をふさいでいた結果、デモクラシーは、自らの政治家や指導者たちが、完全な国民的、また、国際的コミュニティを創り上げようとして、抽象的で不完全なあらゆる種類の案を魔法使いのように幾つもこねあげている間に、闇の子らの偽瞞と悪意との前に危険にさらされながら、自らを保持しなければならなかったのである。（本文26頁）

今までは「正義は勝つ」「善意はわかってもらえる」「話せばわかる」と考えていた。しかし人間には「自分が有名になりたい」だとか、「自分の利益を追求したい」という気持ちもある。そういった人間にもともとある「原罪」を見過ごしてしまったから、ナチスのようなものができたのだとニーバーは言っている。この本が書かれたのは1944年で、ナチスが負けるのはもう時間の問題だった。二度とナチスのようなものを生み出してはいけない。そのためにどうするのかを考え、ニーバーはこの講演をし、この本を書いたんだ。

じゃあ続きを読んで。

人間の世界と動物界との間の最も重要な区別は、人間の本能が人間の世界においては「精神化」されているということである。人間の悪に対する能力は善に対する能力と同様に、この精神化から生み出されるものである。(…) 人間はただ生きているだけで満足出来る動物ではない。生きるからには、自らの真の本性を実現しようと追求せずにいられないのが人間であり、人間の真の本性には他者の生の中に自らの生をまっとうしようとするということが含まれているのである。（本文27頁）

これは「予定説」とすごく関係している考え方だ。神様にお返しするということは他人に返すということだ。キリストは「汝の隣人を愛せ」と言っている。あなたの隣人をあなたと同じように愛しなさいと。ここで重要なのは、まずは「自分を愛する」こと。自分を完全になくして、他人を愛することをキリスト教は説いてない。自分自身を大切にする人じゃないと、人を大切にすることができない。

例えばオウム真理教の人たちは、たくさん人を殺した。それはどうしてできるのか。自分の命は麻原のために捧げていいと思っているからだ。自分の命を捨てる覚悟をすると、人の命は簡単に奪うことができる。日本軍は、中国や沖縄で住民を虐殺した。日本の兵隊たちは、自分の命は自分の国のために捧げるのが正しいと考えていたから、他人の命を奪うことに抵抗がない。

キリスト教はこの意味で、自分を捨てて、人を愛せとは言わない。「自分を愛するのと同じように、人を愛しなさい」と言う。自分を大切にすることができない人は、人も愛せないと考える。だからキリスト教は長持ちしたんだよね。

このようにして、生きようとする意欲は自己実現への意欲にと変えられ、自己実現は他者に対して献身となる。自己実現のこの欲求を深く考察してみると、自己実現の最高の姿は献身の結果なのであるが、自己実現を抑制して自己をささげることなしには所期の結果はえられないというパラドックスにつきあたることが明白となる。このようにして、献身においてのみ自己の充足が得られるという意味で、生存意志はついには正反対のものにと変えられるのである。「自分の命(いのち)を得ている者はそれを失い、わたしのために自分の命(いのち)を失っている者は、それを得るであろう」。(…)

自然の生存本能は、「真実に生きようとする意欲」と「権力を得ようとする意欲」という二つの異った、相矛盾する、精神化された形態にと変質されるが故に、人間は自分自身と矛盾する存在である。第二の本能、すなわち、権力を得ようとする意欲の力は、デモクラシーの自由主義が認識しているよりも、さらに根本的に人間をして自己の仲間と対立させるものである。(本文27〜29頁)

人間は権力を得ようとする。権力とはなにか。相手の意思に反することでも、実行させることができる力のことだ。人を支配するのが、権力の本質だ。人間は人を支配したい、上に立ちたいという気持ちを持っていて、それは人間の原罪から来るんだよね。力があればあるほど、能力があればあるほど、秘めた野望がある。それをいかに自覚して抑えるか、むき出しにするか、あるいは隠しながら巧みに実現していくか。いろんなタイプの人がいる。でもこの指摘は非常に鋭い。

内に対して優しく外に対して厳しいファシズム

ファシスト政治の狂暴は、デモクラシーの人間観に対する特に鮮明な反駁を示すものである一方、デモクラシー文明そのものの限界内における発展が、デモクラシーの人間観に対する反駁を物語っていると言える。自由主義の信条は、大っぴらに闇の子らの手段に用いられたことは一度もない。しかし、闇の力が、この自由主義の信条をどの程度までひそかに利用していたかは驚くべきものがある。それ故に、単純な社会的調和や政治的協調を希望する自由主義の立場を分析しようとするならば、そういう希望の根柢をなすところの普遍主義的前提（universalistic presupposition）、および、自由主義の信条に従うにしろ、従わぬにしろ、われわれの文化に必然的に表現された（個人的にも、集合的にも）利己的な腐敗、の両方を平等に知っていなければならない。自由主義の信条は光の子らの信条なのであるが、それは、また、闇の力を知らない光の子らの眼力のなさを露呈するものであることを理解していなくてはならない。（本文31〜32頁）

ファシズム（fascism）とはなにか。語源の〝ファッショ〟は「束」を意味する。

資本主義社会では格差が広がっていく。格差の下の方に生まれてしまったら、自分の力では這い上がれない。上の方にいる人は、自分だけがもっともっと儲かって、自分だけがもっともっと社会的な地位が上がって尊敬されるような状況を望み、富をどんどん貯めていく。平等ではないよね。

ファシズムは、国の力で、いざというときには暴力によって、平等を実現する。ファシズムでは「俺たちはみんなイタリアの仲間なんだ」と考える。金儲けをしている金持ちは、貧しい人たちに金を渡せという。貧しい人たちも、働かないといけない。働かざるもの食うべからず。ストライキはダメだ。働かない奴は監獄にぶち込む。みんな自分の力に応じて働いて、うんと儲けすぎる奴もいなければ、働いても食べられないというヤツもいない。そうしてイタリアを強くする。そして外国を攻め、奪ってくる。イタリアだけが幸せになる。そういう考え方だ。

ここで重要なのは、「イタリア人」の定義だ。イタリアで生まれたからイタリア人でもなければ、イタリア人の血が入っているからイタリア人でもない。自分の能力に応じてイタリアのために一生懸命何かをしている人が「イタリア人」なんだ。だからファシズムはいつも動的だ。そして一生懸命やっているという姿勢を評価する。一生懸命やっていれば、成果が上がらなくてもいい。内側に対して優しく、外側に対して厳しい。それがファシズムの特徴だ。ファシズムの内側に入っていると、生活は向上するし、仕事にやりがいが出てくる。でもそれは常に他の人を犠牲にしているんだよね。だから、ファシズムは闇の力なんだ。ファシズムは形を変えて、今も色んな形で頭を出す、だからすごく気を付けなければいけない。

アダム・スミス（Adam Smith）の社会哲学には、コミュニティ保存の宗教的保証と、個人がコミュニティの要求を考慮するという道徳的要求との両方が含まれている。宗教的保証というのは、スミスによる摂理のセキュラライズされた解釈に見られるものである。スミスは、私的利益によって導かれる時、人間は、同時に、それは「見えざる手に導かれて彼が意図しなかった一つの目的を促進するものである」と信じていた。この「見えざる手」とは、言うまでもなく、自然の調和と考えられるところの既存の社会調和力であり、それが私的利益の相剋を、相互奉仕の遠大な体系へと変化させるものである。（本文32頁）

啓蒙主義からロマン主義を経てニヒリズムへ

このアダム・スミスのところを英語で読んでみよう。

In the social philosophy of Adam Smith there was both a religious guarantee of the preservation of community and a moral demand that the individual consider its claims. The religious guarantee was contained in Smith's secularized version of providence. Smith believed that when a man is guided by self-interest he is also "led by an invisible hand to promote an end which is not his intention. （原書24～25頁）

（アダム・スミス（Adam Smith）の社会哲学には、コミュニティ保存の宗教的保証と、個人がコミュニティの要求を考慮するという道徳的要求との両方が含まれている。宗教的保証というのは、スミスによる摂理のセキュラライズされた解釈に見られるものである。スミスは、私的利益によって導かれる時、人間は、同時に、それは「見えざる手に導かれて彼が意図しなかった一つの目的を促進するものである」と信じていた。）

"self-interest"は、自身の利益や利害関心だよね。自分たちの利己主義から行動していくと、それが"an invisible hand"（目に見えない手）によって、導かれていくと。これは「予定調和説」と言います。よく「神の見えざる手」と言っているけれども、アダム・スミスは「神の」とは言わない。"invisible hand"という。

それに対して、"hidden hand"という言い方もある。これってどういう意味だと思う？ hideは隠すという意味だよね。

生徒：「隠された手」？

そう。誰かが陰謀で目に見えないようにして悪い仕掛けをする。それを"hidden hand"という。だから、「隠された手」は誰かが仕掛けをしている。

この「見えざる手」とはなにか。各人は利己的にふるまっているが、見えざる手によって、それが最善の結果になると考える。これが資本主義の基本的な考え方なの。何もせずに自由競争に任せていれば、最終的に均衡点に向かうと考える。

現在ではこのような考え方を「新自由主義」とも言う。規制を緩和して、競争をして、そこで最適点が決まればいいんだと。そこでは強い者が有利になるよね。しかしそれが当たり前なんだと考えている人もいるんだ。

ドイツのナチズムの信条に特別の貢献をしたというので、ある程度の正当性をもって非難されるドイツのロマンティシズムの哲学でさえも、闇の子らの狂暴よりは、遥かに、光の子らとしての愚かさを示している。このロマン主義運動の最後の果実には、ニーチェ（Nietzsche）にみられるように、道徳的ニヒリズムの特色が色濃いことはもちろんである。

（本文40頁）

ここで「ロマン主義」という考え方が出てきた。啓蒙主義によれば、理性によって世の中は発展していくというけれど、自分の心の中は必ずしも理性だけでは動いていないよね。たとえば、君は恋人がいますか？

生徒：はい。

生徒：えっ、いるの。

恋人の気持ちが離れているかどうか、どうやって確かめる？　そういうことを考えると不安だよね。15分おきにLINEしたとしても、他のヤツと会っているかもしれない。だんだん不安になってくる。恋愛は理性では説明できないことのひとつだ。「俺の方が、背は高いし、成績も優秀だし、部活もできるから、俺を好きになれ」と言っても、「キモイ」と言われて終わりだ。この「キモイ」という気持ちは、理屈ではわからない。恋愛の感情が典型的な「ロマン主義」だ。ナショナリズムや芸術への愛もロマン主義だと言える。

じゃあさ、そのロマン主義ってどうなると思う？　だいたい失敗する。あなたが失恋するとは言ってないよ。成就してほしいと思っているんだけれども、一般論として高校時代の恋人と結婚している人は非常に少ない。みんな一回は失恋をする。

余談だけど、男子生徒の君に彼女ができたとして、お母さんっていうのは、たいてい不愉快に思うんだよね。「いいよ」と口では言っていてもね。そういう様子を見て、「お母さんは自分の味方じゃない」という感覚を一度経験しておくと、そのあと親離れがしやすくなる。そういう経験が一度もないと、お母さんとベタッとくっつく感じになってしまう。

さて、そういうわけで、ロマンは敗れる。失恋して「もういい、人なんか絶対に好きにならない」と思うと、これがニヒリズムになる。政治の世界においても、「理想的な社会をつくろう」とロマンに燃えていたのに、失敗してしまうと、それがニヒリズムになって、ナチズムになる。啓蒙主義↓ロマン主義↓ニヒリズムという段階を踏むんだ。

ところがね、アメリカだけが違う。アメリカはヨーロッパがロマン主義で悩んでいた時代に、どんどん西部を開拓し、発展し、ロマンが実現してしまった。啓蒙主義がそのまま発展して、ロマン主義を経験せずに、21世紀を迎えてしまった。アメリカはまだ17世紀、18世紀の思想なんだ。

ヨーロッパはロマン主義を経験している。日本もしている。でもアメリカは経験していない。ロマン主義がわかる世界においては、お金は最大の価値にならない。けれど啓蒙主義的で合理主義的な感覚から見ると、お金は最大の価値になる。アメリカでは金持ちが尊敬されるけど、ヨーロッパではそれだけでは尊敬されない。日本もお金をただ持っているだけでは尊敬されないよね。これはロマン主義を経ているかどうかの差なんだ。だからロマン主義ってすごく大事なんだよね。

ただロマン主義は間違えると、ニヒリズムになってしまう。自分たちの理性も信用できなくなり、「俺はなにもできないや」と思ってしまう。そうすると、強力なリーダーシップを持った人が、「我々はなんのために生まれて死ぬのか分からないが、死を恐れない」と言ったら、その人に従ってしまうんだ。そこでヒトラーが出てくる。

啓蒙主義↓ロマン主義↓ニヒリズムと、変化していくことを覚えておこう。ロマン主義が分からないとナチズムはわからない。

人間社会の発達三段階

もっとも、ニーチェでさえも、国家主義者ではなかった。しかし、初期のロマン主義者たちは、常に、西洋諸国のより自然主義的で、合理主義的なデモクラットたちの理論の特色である個人主義と普遍主義との同様の結合を示している。(…)

デモクラシー文明の保存には、蛇のような賢明さと、鳩のような柔和さとが必要である。光の子らは、闇の子らの悪意から自由でありつつ、闇の子らの知恵で自らを武装しなくてはならない。光の子らは、人間社会における私的利益の力を、道徳的に是認することなしに、よく知っていなくてはならない。光の子らは、個人的、および、集団的私的利益の力を、コミュニティのために、なだめたり、そらせたり、統制したり、抑制したりすることが出来るように、この知恵を具備していなくてはならない。(本文40、46頁)

「蛇のように賢く、鳩のように素直であれ」というのは聖書の言葉だ。では次を読んで行こう。

これら一八世紀のデモクラシーの理想主義者たちが、コミュニティの権力や、その野心や集団的利己心などを恐れなかったのは、彼らが、個人に対する不当な政治上の束縛を、君主政体に基づいた封建的経済秩序の束縛の特殊形態と結びつけて考えたからである。彼らは、デモクラシー政府の憲法の原則によって、コミュニティの力を最小限度に縮小したと考えたのであるが、その原則によると、政府はただ消極的な権力を持つにすぎず、最小限度の秩序を保つための、争いの調停や、交通巡査の役割くらいに、その権力が限定されたのである。(本文48頁)

このような国家観を「夜警国家」という。外国から攻められないための国防と、国内の泥棒や暴動、殺人事件のような犯罪者の取り締まりをする警察活動だけをしたらいいと考える。これはドイツの社会主義者ラッサールが、イギリスに対して「こんなの夜警国家じゃないか」と批判したのがはじまりだ。もっと国が国民の面倒を見るべきで、社会福祉をやるべきだとね。「夜警国家」は大学入試に出る言葉だから覚えておいてね。いずれにせよ、権力の分立、司法と立法と行政のバランスを取れば、民主主義は生きていけるのだと考えられている。しかし、その考えはあまりにも甘いとニーバーは指摘した。

人間というのは群れをつくる動物だろう。人間以外に群れをつくる動物にどういったものがいる？

生徒：犬。

生徒：シマウマ。

生徒：アリ。

ハチもアリの仲間だから群れをつくる。白アリは何の仲間？

生徒：アリ？

白アリはゴキブリの仲間だ。群れをつくる。群れをつくるときには、女王アリとか、働きアリのように、群れの中で役割分担があって、それによって全体を維持している。指導的な者もいるだろう。人間と群れをつくる動物たちと、どこが違うんだろう。

人間は自分で考えることができる。でも動物は本能で群れに従っているだけだ。人間は自分の意思で群れの中に入っていく。ただし、群れをつくる動物としての本能の部分もある。個人と共同体の問題は、人間の中でも難しい問題のひとつだ。そこで重要になってくるのは国家と社会の関係だ。人間の社会は三段階で発達しているというのが、今の通説的な考え方なんだ。まず最初は狩猟採集の時代だ。狩猟採集ってなに？

生徒：狩り。

イノシシとか魚を捕まえるよね。ほかには？

生徒：木の実とか。

今でも狩猟採集で生きている民族はいます。そういう人たちって1日何時間働くと思う？

生徒：日が落ちるくらいまで、12時間とか？

生徒：15時間くらい？

実は、3、4時間だ。人間は狩猟採集のときは、3、4時間しか働いていなかった。人間の群れの人数は60人ほどで、それ以上になると統率が取れない。食べ物が足りなくなると移動する生活をしていた。

移動をしていると都合のいいことが二つある。まずはお手洗い。移動していれば、排せつをしたままにしても問題がない。でも定住してそのままにしておくと、そこから疫病が発生し、全滅してしまう。つまりトイレをつくらないといけない。それから、人の死だ。人が死ぬと、怖いよね。移動しているなら、置いてそのまま去ればいい。離れたら怖くない。しかし一緒に住んでいる村の中で人が死ぬと、怖いじゃない。だから埋める。仲間が死んだら埋葬するという概念から、宗教が生まれた。だから定住をすると必ず宗教が生まれる。狩猟採集の時代には、人間は群れをつくっていて社会があった。国家はあると思う？

生徒：ない。

そう。60人ほどしかいないから必要ない。その次に農業社会になる。ひと昔前までは、狩猟採集をしているうちに、燻製や干し柿などをつくって貯めておけるようになって、生産力が向上したから定住がはじまったんだと考えられていた。でも今は定住する前に権力があったと考えられている。西田正規の『人類史のなかの定住革命』（講談社学術文庫）という本でそのあたりが詳しい。定住して人を無理やり住ませるようになると、人間はどれくらい働くようになると思う？

生徒：出来る限り。

そう。16時間くらい働くようになった。現代人の1日の摂取カロリーを考えると、女性で1700～1800、男性で2200くらいだよね。中世のヨーロッパ人は何カロリーくらいとっていると思う？

生徒：1000くらい？

3400くらいなの。あなた食べ物で何が好き？

生徒：肉です。

中世の人はどれくらい鶏肉を食べたと思う。1年間に。

生徒：500羽くらい？

ひとり2羽程度だ。つまり中世のヨーロッパ人は、ほとんど肉を食べていない。肉はエネルギーの効率が悪いからね。大麦や小麦に牛乳をかけ、そのまま食べていた。今のシリアルやオートミールのようなものだ。パンは食べない。粉にして、こねて、イースト菌を入れて、発酵させて焼くなんて、ものすごくエネルギー効率が悪い。パンや肉は、生産力がそうとう上がらないと食べられない。こういう中世の時代においては、国家はあったと思う？

生徒：あった？

ある場合もあるし、日本の戦国時代のようにない場合もある。○×△で考えてみよう。古代では、必ず社会がある。しかし国家がない。社会○、国家×。

次に農業社会は、社会○、国家△だ。

産業社会になると、社会は○、国家も○になる。国家は必ずあるんだ。なんで近代社会に必ず国家があるのか。第一の理由は、産業ができるとマニュアルを読んだり、計算ができる能力が求められる。識字と計算能力を叩きこむためには、ものすごく時間がかかるから、国家じゃないとできない。教育の必要から国家が生まれた。産業は変化していくものなので、基礎的な教育を受けていないと、その変化に合わせることができない。

そうすると深刻な問題が生じる。我々は近代になって産業社会に生まれている。国家と社会が重なっているわけだ。国家がなくなって、社会だけで人間が生きられるかどうかわからない。でも、緊急の事態のときにそれがわかる。もし国家がないと人が生きられないのであれば、東日本大震災のときに、暴動や略奪がたくさん起こっていたはずだ。東北の沿岸地域では日本の国家機能は全く働いていなかったからね。それでも、略奪や暴動にはならなかった。つまり国家がなくても人間の社会は機能することが、震災のような状況になると見えてくる。

私は1987年から1995年まで、モスクワにいた。1991年8月にクーデター未遂事件が起き、ソ連国家は事実上解体してしまった。正式にはその年の12月25日に崩壊する。そこから1993年まで、事実上ロシアには国家機能はなかった。それでもロシア社会の中で、人が人を殺したり、略奪しあうようなことは起きなかった。国家がなくても、人間は秩序を維持できる。国家や社会についてもう一度理屈で考えてみるべきだと、ニーバーは問いを立てているんだ。

『光の子と闇の子』が書かれた時代背景を読む

ここまでニーバーの主張を読んできた。深く理解するためには歴史的な文脈を押さえおく必要がある。

特に重要なのが第二次世界大戦だ。ファシズムに対して、民主主義・資本主義、共産主義の陣営が、一緒になって戦った。だからこの本において、「闇の子」はナチズムでありファシズムであり、日本の軍国主義である。「光の子」は民主主義、資本主義と共産主義だ。

ところが、民主主義陣営・資本主義陣営と共産主義陣営が戦う東西冷戦の時代になると、ニーバーは共産主義も「闇の子」と考えるようになる。歴史的な文脈がどんな思想においても重要なんだ。

では、ニーバーがこの本を書いた時代には、いったい何が起こっていたのだろうか。世界史の教科書で確認してみよう。「大衆社会の到来とファシズムの出現」のところを読んでいこう。

第一次大戦後のアメリカは世界最大の債権国に転じ、ニューヨークがロンドンと並ぶ国際金融市場になった。工業力と金融力にぬきんでる経済大国アメリカの出現で、世界は「パクス=ブリタニカ」から「パクス=アメリカーナ」へと移行していく。

アメリカは、その巨大な経済力に応じる新しい生活様式も生み出した。大量生産・大量消費にもとづく「アメリカ的生活様式」である。

(…)労働者の多くも自動車や家電製品を購入できるようになった。また、映画・軽音楽・プロスポーツなど、大衆文化と呼ばれる新しい文化も誕生した。(世界史B 271頁)


ここで「パクス=ブリタニカ」と「パクス=アメリカーナ」という言葉が出てきた。「パクス」(pax)はラテン語で平和の意味だ。「パクス=ブリタニカ」はイギリスによる平和、「パクス=アメリカーナ」はアメリカによる平和だ。この言葉の由来は、「パクス=ロマーナ」ローマ帝国による平和、にある。ローマ帝国が生まれたときの話だ。

さて、当時のアメリカは「大量生産」「大量消費」と呼ばれる生活様式だった。電気洗濯機や冷蔵庫のような家電が普及するけれど、主婦の仕事はどれくらい減ったと思う? むしろ増えたと思う?

生徒:減った。

実は増えたんだ。興味がある人は、『お母さんは忙しくなるばかり――家事労働とテクノロジーの社会史』(法政大学出版局)という有名な本があるので、読んでみて。

洗濯機が出来るまで、洗濯は2週間に1回しかしなかった。今でもYシャツのエリにはボタンがついているよね。なぜこんなところにボタンがついているのか? 昔はソデやエリが外せるようになっていて、そこだけを洗って身ごろは洗わなかった。下着だって1週間は同じのを着ていた。同じ服をずっと着ていたら臭くなるでしょ。そこから香水が生まれて、臭いをごまかしていた。

ところが、洗濯機ができるようになったら、毎日洗濯するようになった。お風呂もそうだ。お風呂なんて1週間に1回しか入らなかったのに、毎日お風呂に入るようになる。下手すると、朝も夜もシャワーを浴びる。そうすると洗濯物もますます増えるし、家事労働はどんどん増えていった。

大量生産、大量消費社会というのはどういうことか。いま君たちが使っているテーブルやイスは、100年持たないよね。でもイギリスの机は200年、300年は持つ。もっと頑丈につくることができるのに、つくっていない。どうしてだろう。家もそうだ。日本の住宅は20年ほどすると資産価値が0になる。なぜ華奢な住宅をつくるのか。つまり、壊れてくれないと困るからだよね。長持ちしたら需要がなくなってしまう。人々に様々な刺激を与えて、様々なものを売りつける、様々なものを生産する。そんな大量消費、大量生産の時代になった。

またメディアも、社会の構造にものすごく影響を与える。ヒトラーも、ラジオがなければ生まれてこなかった。新聞では伝達できる人の数は限られている。でもラジオであれば、何百万人にリアルタイムで伝えることができる。ファシズムの前提条件には、このような技術の発達もあった。

大衆の政治参加も進んだ。(…)1920年代のアメリカにおいて、大衆の動向が政治・経済・文化に大きな影響を及ぼす社会(大衆社会)が出現した。(…)

アメリカ経済が躍進する一方で、大戦後の西ヨーロッパ諸国は経済不振にあえいだ。世界の経済的・政治的中心でなくなった西ヨーロッパは、幅広い国民の政治参加や、帝国の再編と協調外交などで、新しい状況に対処しようとした。

イギリスは、(…)北アイルランドを除くアイルランドを、1922年に自治領として承認した。そして1926年のイギリス帝国会議において、すべての自治領を本国と対等の国家とし、イギリス帝国をそれら独立国家からなるイギリス連邦とすることが取り決められ、その合意がウェストミンスター憲章で成文化された。(世界史B

（271〜3頁）

イギリスの正式国名ってなに？

生徒：グレートブリテンおよび北部アイルランド連邦王国。

そう。この名前の中に、民族を示す言葉って入ってる？　イングランド人、スコットランド人、ウェールズ人、アイルランド人という民族はあるけれど、「ブリテン人」や「北部アイルランド人」という民族もいない。イギリスは、世界で唯一民族名がついていない国家名だ。それ以外はすべて民族名と結びついている。日本は日本民族、アメリカだってアメリカ民族がいる。１９９１年までは、同じように民族と国名とが結びついていない国がもう一つあった。どこだろう。

生徒：ソビエト。

ソビエトの正式国名は。

生徒：ソビエト社会主義共和国連邦。

「ソビエト」というのはロシア語で会議という意味だ。会議によって物事を決める社会主義の国が集まってできた連邦という意味だから、そこに民族を示唆する名前は全くない。つまりこのふたつの国は、いわゆる「国民国家」ではなく、「帝国」だ。イギリスでは、古い大英帝国がなんとなく併合した。ソビエトは国民国家を超えた未来の国をつくろうと試みたが、その内実は国民国家ができる前の帝国だった。

ファシズム的雰囲気が強まっている日本

じゃあ日本はどうだと思う。日本も帝国なんだよ。元号が変わったことに対して、冷ややかな地域が日本の中にある。沖縄だ。辺野古埋め立てをめぐる県民投票があった日(2019年2月24日)は、平成の天皇陛下が国民の前に出てくる最後の日だった。その日に県民投票をぶつけるのは、他の都道府県では考えられない。1979年に沖縄県が設置されるまで、沖縄には「琉球王国」があった。琉球王国は日本と中国の双方に属していて、正式には中国と冊封体制にあった。だから天皇神話が共有されていない日本の領域だ。日本の中の外部領域であるともいえる。帝国の特徴は、統治が均一じゃないことだ。辺境と中央でルールが違う。その意味において、今のロシアや中国も帝国的な要素を持っている。地域によって少しずつルールが違う。それが帝国の特徴だ。それに帝国は、まとめ上げるために必ず理念がいる。天皇は英語でemperorでしょ。天皇という形でそれを象徴しているのは、日本の中で帝国の要素がまだあるということだ。世界でemperorが現役の国は日本だけだ。

今回「令和」という元号が発表されて、その由来は万葉集にあると言われている。今まで調べた限りでは、日本の国典から取ったのは初めてらしい。今までずっと中国の古典を由来にしていたのに。そもそも元号は中国からスタートしたものだ。日本の古典から選んだ様子を外国から見ると、「日本ではナショナリズムが高まっているんだな」と思われる。日本人は誰もそんなことを考えていないけれどね。これから外交の世界では議論になりうる点だと思う。そして議論になっていくうちに、結果としてナショナリズムが高まるのではないか。そういった文脈を踏まえないと、何が起きているのかはわからない。だから過去の歴史を知ることは、現在を読むために必要だ。

なぜいま『光の子と闇の子』を読んでいるのか。みんなが社会に出ている7、8年後には、ファシズム的な雰囲気が強まっていると思うからだ。民主主義は機能不全になって、社会の格差がさらに開いている。そうなると、国家の強い力で再分配を実現しようとしたり、「なるようにしかならない」と世の中にシニシズムが蔓延したりするかもしれない。

難しい本を読み、様々な理屈を話しているけれど、今やっているのは一種の予防接種なの。真面目な人が知らず知らずのうちに、ファシズムの考え方に染まっていく。よくある話だ。

そうならないために、ファシズムがどのような考え方で、どのような歴史をもたらしたのか、歴史を勉強することで追体験する。それが予防接種になり、世の中の情勢を観察して「これはおかしい結果になるかもしれない」と気づけるようになる。

今までは、学校の授業でやっていることと、現実が結びついているとはあまり思えなかったかもしれない。テスト対策で読むことはあっても、自分たちが生きている現実とは関係していないと感じていなかった？　でも実はすごく深く関係しているんだ。だから『光の子と闇の子』を読むだけではなく、教科書と結びつけて読んでいる。ぜひ、注意深く読んでほしい。

大戦後のドイツでは、当時の世界で最も民主的な憲法（ワイマール憲法）による政治運営がめざされた。だがドイツの経済的没落は深刻だった。（世界史B　273頁）

ナチスなんて全然民主的とは思えないでしょ。でも、当時もっとも民主的な憲法から、ナチスが生まれてきたわけ。

じゃあ、ナチスの時代の憲法とはどのようなものだったと思う？　これはひっかけ問題だ。実はワイマール憲法だった。ナチスは憲法を改正しなかったからだ。どういうことか。オッ

ト ー・ケルロイターという法学者が『ナチス・ドイツ憲法論』という本を書いている。ワイマール憲法を変えようとすると、その手続きは大変だ。だからナチスは憲法に矛盾するような法律をどんどん作っていき、目に見えないナチス憲法をつくった。例えば、「血の純潔」を目的にしてユダヤ人とドイツ人の結婚を許さなかった「ニュルンベルク法」では、ユダヤ人の選挙権や市民の権利も奪われた。ワイマール憲法では基本的人権が認められていたにもかかわらずだ。そうやって矛盾した法律をどんどんつくっていけば、目に見えないナチス憲法ができる。憲法改正の難しい手続きを経ずに、ヒトラー総統の出す命令が憲法だと考えればよかった。だからナチスは最後までワイマール憲法の改正をしなかった。

ということは、どんなに立派な平和憲法や人権を保障する憲法をつくっても、実際に政治を行う人がそれに反する行動をして、国民がそれを阻止しなければ、ナチスのようなものが生まれてしまうことになる。

人間の抑圧された領域に注目したフロイト

アメリカ発の大衆文化が定着するのと並行して、西洋近代社会そのものに対する懐疑があった。西洋近代合理主義を批判した19世紀末のニーチェだった。実存哲学とよばれるようになるその哲学は、ハイデガーに受け継がれ確立された。

西洋近代社会とその人間観の見直しは、絵画に大きな影響を及ぼし、複数の視点から対象を描くキュビズムのピカソやダリなどの画家が出現した。(世界史B 274頁)

フロイトの考えている「無意識」とはどういう考え方か。

例えば、まだ小さな男の子は、お母さんと恋人になりたいと考える。お母さんを独占したいと考える。そうするとお父さんとライバル関係になるよね。息子は常に、お父さんと対決するような心理状態になっていく。これを「エディプスコンプレックス」と言う。その根っこにあるのは、お母さんとセックスをしたいという思いなんだとフロイトは言う。そして彼は、人間の行動の根っこには、すべて性衝動があり、人間の文化文明は性的な衝動を抑える

ために あるのだと考えた。

これはユダヤ教の考え方を変形しただけだ。教科書には出てこないが、ユダヤ教には「カバラ思想」がある。時間の流れとともに、人間の考えも光の部分が増えていくが、それに合わせて同じように闇の部分が増えていく。「啓蒙主義」はこの光の部分だといえる。闇の部分は自分の性衝動、自分のお母さんとセックスをしたい、人を殺したい、破壊したいという部分。光が増えれば増えるほど、秩序ができればできるほど、闇も深くなっていく。勉強して成績のいい人間ほど、悪事を働いてやりたい気持ちがある。心の中の欲求を抑えている。ある時、それが爆発してしまう。カバラではツボの中に光がたまっていくと考える。だんだん疲れてくると、ツボにひびが入ってきて、爆発してしまう。でも爆発しそうな瞬間にぱっと光を捕まえて、別のツボに移さないといけない。これがカバラの考え方だ。

この発想を「心理学」という言葉で置き換えたのがフロイトだ。フロイトは抑圧されているものは、間違いや夢に現れると考えた。「うっかり」間違えたと本人は思っても、心の中で抑圧されているものが出てきただけ。夢の世界では自分の隠された欲望が出てくるので、夢診断も重視した。これがフロイトの考え方だ。

心理学が生まれた背景には、世の中が不安定で、人々が不安になっている第一次世界大戦後の世界があった。

ダリの絵を見たことがあるかな。時計がぐにゃーっと曲がっているよね。このような技法を「シュールレアリズム」(超現実主義)という。今まで見たことがない芸術があらわれてきたのも第一世界大戦の影響だ。それくらい人間の物の見方に影響を与えた出来事だったんだ。

いまだ解決されていない「闇の世界」の問題

イギリスの有名な歴史家であるエリック・ホブズボームは、「長い19世紀」と言った。19世紀は100年よりも長い。1789年のフランス革命から、1914年の第一次世界大戦勃発までが19世紀だと言われている。20世紀は1914年から、1991年のソ連崩壊までなので「短い20世紀」といえる。ホブズボームは短い20世紀を「極端な時代」と位置付けた。そしてこの「極端な時代」に起こった第一次世界大戦と第二次世界大戦をひとつの戦争だと捉え、「20世紀の三十一年戦争」と名づけた。第二次世界大戦が、第一次世界大戦の戦後処理の失敗から起きたのは明らかだ。でも第一次世界大戦がなぜ起こったのかは、いまだにわかっていない。誰もあんな大きな戦争になるとは思ってなかった。そう考えると、われわれは第一世界大戦で問われたものをまだ処理できていない。

さて、第二次世界大戦はアメリカが圧倒的な物量で勝利したよね。これは啓蒙の勝利、理性の勝利と言える。カバラ思想で言えば、「光の世界」だ。でもこれは、第一次世界大戦の問題を先送りしただけとも言える。第一次世界大戦の後に出てきた、ナチズムやファシズムといった「闇の世界」が、いまだ解決できていない。

現在は、どんな政策をとっても経済がうまくいかない。政治も安定しない。国際情勢も戦乱が絶えない。北朝鮮が核を持つようになるなど、核の問題も未解決だ。闇の世界がどんどん増えているのを抑えられていない。いったいどうしたらいいんだろうか。そんな時代にみんなは生きていくわけだ。みんなが社会に出るころには、今よりももっと閉塞感が強くなり、国際情勢も緊張しているかもしれない。日本は韓国と中国に追いつかれて、一人当たりGDPも抜かれていくだろう。

私が大学の教育を重視しているのは、教育の力をつけていくことでしか、国は強くならないからだ。皆さん個人個人が力をつけるとともに、それによって日本の社会が強くなっていくことを私は考えている。

日本の場合、偏差値による分離も進み、文系と理系も分かれすぎていて、なおかつ選別ばかりされている。そこで評価されるから、みんなくたくたで、大学に入ったころには勉強が嫌いになっている。「大学生は何をすべきか」なんてテーマで大学から講演を頼まれたりするんだけど、こんなのはほかの国ではありえない。何をやるのか決めないで大学に来る人なんていないんだから。アメリカなんて1学年で学費が700~900万円もかかる。借金を背負って大学に行くので、「これを身につけるんだ」という明確な目標を持っている。

私が高校で授業をするのは、受験勉強でやっていることが社会に出て役に立つと思っているからだ。大学入試はゴールではなくスタートだ。そのことを高校2年生の時からわかっていて、部活と学校の勉強と受験に取り組む人と、全然意識せずに毎日ただ状況に流されている人では、一生が変わっちゃうからね。

プライドをいったんカッコに入れる

前にも述べたけど、この学校は、埼玉県の偏差値だと62~63くらいだと思うけど、全国偏差値だったら66なんだ。埼玉県は偏差値が高いからね。そう考えると、日本全体の同じ年の人を集めた場合、皆さんは上位5％以内に入っている。20人の中から1人選ばれた人たちだ。中学の時に、クラスで1番や2番だったりするでしょう。ただし、20人から1人に選ばれている人たちが集まった学校でも、順位がついてしまうと下位の人が出てきてしまう。学年の順位が悪いことが続くと、やる気を失ってしまうかもしれない。高校と中学では覚えなければいけない量が違う。特に数学と英語に関しては、基礎がないといくら努力して暗記してもダメ。下のレンガが崩れて、上にレンガを積んでも歪んでしまう。だから数学や英語が苦手だと思ったら、いちどプライドをカッコに入れて、自分はどこができないのかチェックしてみよう。

私は自分が教えている高校生、大学生から学習報告をもらっているけど、成績が優秀な人は休みの日に6時間〜10時間の長時間学習をしている。30分や1時間の勉強だと、わからなくてもなんとなくできてしまう。ところが継続的に長時間学習をしていると、わからない勉強をそんなに長時間続けられない。だから長時間学習をしている人は、わかる点とわからない点を仕分けできるようになる。そうすると数学でも、「私は数学が苦手」ではなく、「私は三角関数が苦手」「三角関数の中でも最大・最小が苦手」と具体的にわからないところが見えてくる。具体的に見えていれば、半分解決しているといっていい。弱点分野があるんだったら、その弱点分野を補強してほしい。いくらでも相談に乗るからね。

あとは、中学数学の段階で、図形がわからないと必ず三角関数で躓くからね。証明が弱いと、集合と論理の部分で躓く。あるいは数学的帰納法の部分で躓く。高校入試の時の問題をもう一回説いてみて、できなかったところはどこなのかを思い出してみよう。どれくらい解けているのか。もう終わっちゃった試験だけど、重要だよ。

それから、これから模擬試験が入ってくるんだけれども、模擬試験を受けたときに、模擬試験を受けっぱなしにしないで、わからなかったところはどこか、弱点を補強していく。こういうことをやれば、成績はぐっと伸びるはずだ。同時に、大学の志望校、どの大学でどのようなことをやっているのかを見て、自分がやれるようなところ、自分の志を高く持ってね、もう一段高いところを目指す感覚があってもいいと思う。受験と、教養とを合わせて、総合マネジメント能力をつけていく。このマネジメント能力は社会に出てからすごく重要になる。だから教養ゼミは単に教養をつけて物知りになるのではなく、受験にも強くなって、部活と受験と学校の勉強とのバランスを取りながら自分で組み立てていく、総合マネジメント能力をつけるその訓練でもあるんだ。

ファシズムをめぐる諸相

ソ連はアメリカに次ぐ工業大国となったが、独裁体制におちいり、民衆に多大な犠牲を強いることになった。また東欧には、ハンガリー、ポーランド、ユーゴスラヴィアなどで独裁政権が誕生した。

第一次世界大戦後のイタリアでは、ムッソリーニのファシスト党が（…）勢力をのばした。ファシスト党は、領土問題ではナショナリズムをあおり、経済危機については社会主義と議会制民主主義の責任であるとして、強権による問題解決を唱えた。（世界史B 275頁）

ポーランドはイタリアに次ぐ、世界に二番目のファシズム国家だった。今のポーランドでも独裁傾向が強まっている。意外性は全くない。ポーランドはファシズムに偏りやすい傾向を持っているから。ナチスドイツによるユダヤ人虐殺の問題の方がよく扱われるけど、ポーランド人もユダヤ人に酷い弾圧を加えているからね。そうした歴史の流れも知る必要がある。

ムッソリーニはもともとマルクス主義者だった。ところが、第一次世界大戦がはじまると変わっていった。当時、社会主義政党では戦争に反対することが多かった。しかしムッソリーニは、「自分たちの国家が勝利してはじめて社会主義があるんだ、だから戦争に参加してまずは勝たないと」と考えた。なので社会党から別れて、ファシスト党をつくったわけだ。だからイタリアのファシズムには社会主義の要素があるんだよね。


1929年10月、ニューヨーク証券取引所での株価大暴落が起こり、恐慌がアメリカを襲った。（…）恐慌は、資本主義世界全体に拡大し、世界恐慌となった。

イギリス、フランス、アメリカなど世界の主要国は、恐慌に対処する国際的なしくみを生み出せず、輸入制限と関税を設けて自国と従属地域の市場を外国に対して閉ざすこととなった（ブロック経済）。（…）

アメリカのローズヴェルト政権は、ニューディールとよばれる（…）国家が経済に介入し景気回復をめざす新政策も実施した。（世界史B　276〜7頁）

こういうのを「保護主義」と言う。最近ＴＰＰなんて言葉を聞く。「自由貿易」と言われているけれども違うよ。ＴＰＰは環太平洋地域の中で関税を減らしていく取り決めだ。そ

れ以外の地域では障壁をつくろうとするわけだから、保護主義だといえる。でも保護主義は戦争につながるから、どの国も「自由貿易を推進します」と宣言して、実際には保護主義をやるんだ。これが今の世界情勢の実態だ。緩やかな形だけど、世界はブロック経済化に向かっていると考えていい。

これは大学レベルの話だけれども、ニューディール政策にはほとんど効果はなかったことがわかっている。では恐慌を抜け出したのはなぜだろう。第二次世界大戦の勃発だ。第二次世界大戦が起きると、ヨーロッパでは兵器や、戦争に使う物資を生産できなくなった。だからアメリカがどんどん輸出して、お金がすごく入ってくるようになる。結局恐慌を抜け出したのは第二次世界大戦、戦争のおかげだった。だから恐慌を解決するための大きな方策は戦争なんだ。これは大学以降に経済史の研究で出てくる。もう少し先を読もう。

ドイツでは、世界恐慌による経済危機が深まるなかでナチ党が政権をにぎり、イタリアのファシスト体制と思想・行動を共有する、ヒトラーの独裁体制がしかれた。（世界史B 277頁）

こういうような状況の中で、第二次世界大戦がはじまった。では本文に戻ろう。

カトリックとプロテスタント、そしてセクト

西洋のキリスト教の伝統においては、カトリックのキリスト教は、人間がコミュニティのあらゆる法律や要求を超えて、良心の自由を必要とする次元を持っているということを主張した。カトリシズムにおいては、この究極の自由は、その自由の条件が宗教的・歴史的制度によって限定され、また、制約されていたという事実によって制限されていたのである（…）

このようにして、制度的抑制は、個人の究極の自由を縛っていた。プロテスタンティズムは、このような究極的な抑制に反対して、宗教の領域において、より徹底的な個人の自由を要求したのである。（…）

他方、カルヴィニズム、および教派（セクト）的キリスト教（sectarian Christianity）は、「福音主義的自由」の確保から「市民的自由」の要求を抽き出したのである。（本文82～83頁）

教会の決めている規則があるので、これを変えてはいけないと考えるのがカトリック教会

の立場だ。対して、プロテスタント教会は、個人が自由に決めることができる点を強調した。「セクト的」とはなにか。E・トレルチやマックス・ウェーバーによって定義された言葉だ。プロテスタントやカトリックのような大きな教会とは別に、小さい教会で「自分たちは絶対に正しい」「お酒は飲んではいけない」「戦争は絶対にしてはいけない」と規律を重視したアソシエーションをつくった人たちのことを指す。こういったキリスト教は政治に影響を与えている。詳しくは後で説明するね。もう少し先を読もう。

個人が、究極においては宗教的にコミュニティを超越したものだということは、社会の活動過程に対しても、また、公共的責任に対しても関係を持っているとも言えるし、また、究極的には無関係だとも言えるということが実際の事実なのである。(…)パウロ(St. Paul)も言ったように、「わたしは人間の裁判にかけられたりしても、なんら意に介しない。……わたしをさばくかたは、主である」(コリント人への第一の手紙四・三—四)と言うところの個人、また、コミュニティの是認や否認よりも、もっと高い権威に訴えようとするところの個人は、そのことによって公共的責任をまぬがれるものではない。(本文83~84頁)

教会や国家よりも高次な、神様と自分との関係において、カトリック教会は神父を経由して、自分の考え方を神様に届けてもらう。プロテスタントの場合は直接神様とコミュニケーションをして、自分のやっていることが、神様に照らして正しいのかどうかを考えた。世の中の規範よりも、神様と自分との関係で正しいかどうかを考える。それはカルバンの考え方と一緒だ。自分は選ばれた人間だから、神様との関係で恥ずかしくなければいいと考えるわけだ。

専制主義的政府に対する最も鋭い反対論者たちは、過去においてもそうであったと同じように、今日「人間に従うよりは、神に従うべきである」（使徒行伝五・二九）と言うとの出来る人々である。彼らは悪魔的な専制君主たちの見せかけを無視しうるし、また、ある特定の政府の中にある悪しき勢力を蔑視することも出来るという有利点を持っているが故に、彼らの決断は可能なのである。（本文84頁）

ドイツの中でナチスに抵抗した人は、プロテスタントでもカトリックでも両方いたんだ。ヒトラーよりも、ドイツ民族の掟よりも、神に従うと考えた。ユダヤ人を虐殺しているようなナチスには協力できないとね。それで沢山の人が収容所に送られて死んでいった。その人たちは、国に従う、法律に従うことよりも、神に従うことを重視した。これがプロテスタンティズムの本質的な考え方だとニーバーは考えたわけだ。

この精神は、アメリカ国家でも同様に発揮される。もし国がおかしなことを言っても、神の名において従う必要はない。だからアメリカでは自分の信仰的良心によって戦争にいかない「良心的兵役拒否」が認められている。

逃げるだけでも、理想を追うだけでもいけない

さらにまた、自己の権力を超えた法を認めることを拒否するところの偶像崇拝的な国々(national communities)に立ちむかう最後のてだてては、人間の道徳的責任感に対していつも不当な制約を加えたがるところの、不公平で特殊的な国々(national communities)を超越して、道徳的な洞察力の源を持つところの個人が、普遍的法を認識していることでなくてはならない。コミュニティを超越するに足るだけの高さをもつ個人の自由の宗教的超越性が探求され、防禦されるのでなければ、世界共同体(world community)は決

して創造しうるものではない。(本文85頁)

どういうことか。国家の規則や学校の成績のようなものだけで自分を評価するのではなく、絶対的に正しいと思うところから、本当に今やっていることが正しいのか見る。それは神様でもいいし、仏様でも、絶対的な師でもいい。これは人間の心の中の良心に結びつく。良心によって動くような人たちはドイツにもいる。だからドイツ人=悪と見たらいけない。ただし人間には「原罪」があるから、良心だけに頼っていてもだめだ。もっと早くにナチスを封じ込めておけばよかったのに、アメリカはずっと放置してきた。我々は他人から自由を侵害されたくない、だから人の自由も侵害しないという形でね。自由主義者の人たちが権力を持っているときには、ナチスや共産党も存在することができる。しかしナチスが権力を持ったら、自由主義者も民主主義者も存在できなくなる。この逆説がわかっていなかったという反省だ。

感覚の鋭い個人は、現実の如何なるコミュニティに実現されているよりも、より純粋で、より広い同胞愛の理想を持っている。それ故に、個人の良心とコミュニティ(communities)の道徳的な曖昧さとの間には、絶えざる緊張がある。(…)この緊張が、神秘主義者たちをして、内的世界の静けさと清純さとに逃避せしめるのであり、また、それはあるユートピアンたちをして、歴史的存在からあらゆる道徳的な曖昧さを徹底的に除去しようと追求させもするのである。（本文85〜86頁）

ここで重要なのは、時代がひどい状況になってきて、ナチスのようなものが生まれてきたことだ。こういうときには二つの方法があるとニーバーは言う。一つは、自分の内面の世界だけに逃避する。これは出来るけれども間違えている。もう一つはナチスは間違っているから と戦いを挑む。それは不可能だ。じゃあどうしたらいいのか。その間で、現実的に出来ることはなんなのかを考えていきましょうと。逃げるだけでも、自分たちの理想を追いかけるだけでもいけない。個別個別の中で具体的な対応を考えていかないといけない。これがニーバーの主張だ。

明日からは「コミュニティと財産」に入っていこう。今は難しくてわからないものが多いかもしれない。ただ自分の力より2割ほど負荷がかかるような形で勉強しておくと、必ずそこに追いつく。今わかるレベルに落としてしまうと、それ以上伸びないからね。

第3講

世界戦争が起きるメカニズム

民主制は循環する

では、昨日の復習からはじめよう。古代ギリシアの民主主義の特徴ってなに？

生徒：世間を斜めから見ている？

そうかな。もう一回教科書を読んでみよう。ポリスでは民主主義が展開されたんだよね。ポリスの中の「市民」ってどういう人たち？　教科書を確認しよう。

> ポリスの市民は成人男子に限られ、貴族・平民の違いはあったが土地を所有し、かつ自費で武具を用意する戦士であった。女性、ほかのポリスの出身者、奴隷は政治から排除された。（世界史B　21頁）

古代ギリシアの民主主義の主体は、自由民の成人男子だけだった。女性や奴隷は民主主義の対象になっていなかった。では、君主制が堕落するとどうなる？

生徒：僭主制になる。

貴族制が堕落すると?

生徒:寡頭制になる。

民主制が堕落すると。

生徒:衆愚制になる。

君主制政治が続くと、だんだんと君主が勝手なことをしだすので、それが僭主制、独裁制になる。その様子をみた人たちが、何人かの優秀な人たちで集団指導していこうと考える。これが貴族制になる。貴族制が堕落すると、寡頭制になり、普通の人たちが集まり政治を行う民主制になる。しかし民主制も堕落し、衆愚制になる。このだらしない状態を解決するためには、ひとりの人が治めた方がいいと考えるようになり、また君主制に戻る。君主制が堕落すると僭主制になっていき……という循環が起きるわけだ。

これは現在にも当てはめることができる。今は「民主主義の危機」なんて言われているが、衆愚制になってしまう危険性がある。衆愚制の次は君主制、そして独裁制になっていくよね。

次に、「コルプス・クリスティアヌム」ってなんだろう。これが欧米を作り出している原理だ。三つの原理から成り立っているよね。一つ目はユダヤ・キリスト教の一神教の伝統。二番目はギリシア哲学。三番目はローマ法。この三つから成り立っているのが、キリスト教共同体、欧米を形作っている原理だよね。

では「予定説」ってなんだろう。

生徒：生まれる前から成功する人が決まっている？

そう。さらに、成功する人すなわち救われる人と、しない人すなわち滅びる人があらかじめ決まっているという考え方を二重予定説と言う。誰が考えた？

生徒：カルバン。

それでは「啓蒙主義」ってなに。理性を光と考えると、部屋の暗いところにろうそくを1本つけると見えるようになって、2本つけるともっとよく見えるようになる。灯りを増やしていけばよく物事が見えるのと同じように、理性によって世の中をもっと理解できるという考え方だ。18世紀に生まれた。この啓蒙主義に則って行われた革命ってなに？

生徒：フランス革命。

その辺は覚えておいてね。では、ロマン主義ってなんだろう？　辞書で調べてみよう。

［ロマン主義］一八世紀末から一九世紀の初めにかけてのヨーロッパで、芸術・哲学・政治などの諸領域に展開された精神的傾向。近代個人主義を根本におき、秩序と論理に反逆する自我尊重、感性の解放の欲求を主情的に表現する。憧憬（どうけい）・想像・情熱・異国趣味と、それらの裏返しとしての幻滅・憂鬱（ゆううつ）などが特徴。（三省堂大辞林）

ロマン主義は、啓蒙主義が行き詰ると生まれる。ロマン主義で分かりやすいのが恋愛だ。理性だけでは組み立てられず、人間の情念を非常に重視する。自分がやりたいことを見つけて、夢を持つのもロマン主義だよね。それは必ず壁にぶち当たる。そしたら何が生まれてくる？

生徒：ニヒリズム。

そう。そういった論理の巡回の回路を覚えていてね。

もう一回英文を考えてみよう。

Democracy is a "bourgeois ideology"

とあるけれども、"bourgeois ideology" てどんな意味？

生徒：ブルジョワ階級の思想。

イデオロギーってなに。

生徒：人の考え方。

単なる思想ではなく、その人の行動に影響を与える考え方が「イデオロギー」だ。

mercantilismと書いてあるけれども、どういう意味だろう。

生徒：重商主義。

そう。貿易を行い、利益が自分の国に多ければいいとする考え方だ。貿易を国がサポートして、お金を儲けていく。もう一つ、"community"という単語が出てくるよね。これはどういう意味？

生徒：共同体。

"community"とは別に"association"という言葉があるよね。これも共同体と訳すことができる。両者の違いはなに？

生徒：コミュニティは自分では変えられない。アソシエーションは自分の意思で変えられる。

そう。そうすると、会社はcommunity? association?

生徒：association。

じゃあ、街や村は？

生徒：community。

そう、コミュニティとアソシエーションにはそういう違いがある。では"libertarianism"ってどうやって訳せばいい。

生徒：自由主義。

自由主義だけれども、リベラリズムとはどう違う？　リベラルというのは、イギリスやヨーロッパとアメリカでは意味が違うよね。イギリスやヨーロッパのリベラルってどういう意味？

生徒：国が干渉しない。

「自由にさせてくれ」「俺に触るな」ということだよね。それに対してアメリカのリベラリズムは？

生徒：国民が自由になるための制度を国がつくる。

そう。アメリカにおけるリベラリズムはヨーロッパにおける社会民主主義に近い。で、アメリカにおける「自由にさせてくれ」「俺に触るな」という考え方が、ここに出てくるリバタリアニズムになるわけ。リバタリアニズムは最近入試でもよく取り上げられる言葉になっているので、よく覚えていて。

では、別の箇所。

"Machiavelli's amoral "Prince""

とあるけど、どういう意味だろう。マキャベリは人の名前だ。どんな人だろう。辞書を引いてみよう。彼はイタリアの政治理論家で、『君主論』という本を書いた。権力を維持するために、道徳を無視していい。ずるいやり方をしてでも、権力を維持する方法を書いたのがマキャベリの『君主論』で、近代政治学のスタートと言われている。もう一度英文を読むと、"amoral"という言葉が出ている。"moral"は道徳だよね。"a"がつくとどうなる?

生徒:否定になる。

そう。つまり「非道徳な」ということだね。「a」は否定の時につかう。例えば"ahistorical"と言うと、非歴史的な問題だという意味だ。例えば、慰安婦問題って聞いたことがあるよね。戦時中に日本軍が慰安所を運営して、そこに女性を連れてきただろうと。この問題をアメリカとの間で議論したときに、日本は"historical"な、つまり歴史問題だと捉えている。しかしアメリカでは"ahistorical"な、非歴史的な問題と捉えている。どういうことか。慰安婦の話を聞くと、自分の家族がいまそういうところに連れていかれるというイメージを持つ。この中で犬を飼っている人いる?

生徒:はい。

犬は好き?

生徒:好きです。

例えば東南アジアのある場所では犬鍋をよく食べる。という話を聞いたらどう思う。

生徒：悲しい。

猫飼っている人いる？　私の家にはいま6匹猫がいる。でも世界では猫の肉を食べていた地域もある。そんなの生理的に受け入れられないよね。それは"ahistorical"、歴史的に猫を食べていたと言われても、それは歴史の問題ではなくうちの猫が食われると思うからだ。

aが付くと、否定になることはぜひ覚えてほしい。

もうひとつ、"secularism"という言葉がある。どういう意味？

生徒：世俗主義。

世俗主義ってどういうことだろう。中世において宗教の影響がすごく強かったよね。でもだんだん宗教の影響が薄くなり、神様がなくなり、この世の問題は人間の手で解決していこうと考えるようになった。ヒューマニズムと非常に関係している。近代は基本的に世俗化が進んでいく時代だからね。

一般的等価物から貨幣へ

はい、みんな昨日までのところは頭に入っているね。では三章「コミュニティと財産」を読んで行こう。

人間相互間のあらゆる関係は、究極において、所有の問題をはらんでいる。「我」という事は、「我がもの」という事に緊密に関連しており、「汝」ということは「汝のもの」ということにこれまた密接につながっているので、個人相互の調和も対立も常に、財産の問題を含んでいるのである。例えば家族のように、生活が他者の生活と非常に密接につながっている場合には、「我がもの」と「汝のもの」との問題は、共有物という観念で解決がつく。ところが、他方、人間と人間との対立は、他人のものと明確に区別された独自の所有物という観念をとぎすませている点に、通常よくあらわれている。そしてそういう所有物は他人にかすめ取られないために細心の注意をはらって規定されているのである。（本文89〜90頁）

お金にはどんな価値がある？

生徒：商品を買える。

「商品」ってなんだろう？

生徒：自分の欲しいもの。

例えばさ、昨日の夜、家で何か食べた？

生徒：カレーライス。

それは商品？　家の中でカレーを食べるときお母さんにお金払った？

生徒：払っていないです。

商品じゃないよね。商品には必ず対価がある。家のカレーは商品か？　違います。家で食べるカレーは商品ではない、外食で食べるカレーはお金を払っているので商品だ。

じゃあ、ここからどうやってお金儲けができるのかについて簡単に説明しておくね。これは教科書にも書いていないし、この本にも直接は書いていない。でも前提になっていることだ。

商品には二つの要素がある。

1　使用価値

2　価値

今、君はシャーペンを使っているよね。シャーペンの使用価値は「書くことができる」ことだ。このシャーペンはいくらだった？

生徒：400円。

この値段が価値だ。価値は価格のことと考えていい。そうすると、ノートがあるよね。ノートの使用価値と価値は。

生徒：使用価値は書き込めること、価値は60円。

電子辞書では？

生徒：使用価値は調べられること、価値は3万円くらい。

教科書は？

生徒：使用価値は調べられること、価値は……国が支給する。

いや、高校の教科書は支給されていない。

生徒：あ、購入しました。

その買った値段が価値だね。ではその先を考えてみよう。

あなたが今、たくさんシャーペンを持っているとする。のどが渇いたなぁと思って、ペットボトルの水を持っている人に、「ペットボトルを1本くれるなら、シャーペンを1本あげる」と言った。これは交換だよね。ところが、相手はシャーペンがほしくないかもしれない。

あるいは、電子辞書を買いたいときに、「300本渡すから電子辞書をくれ」と言ったって、相手はそんなにシャーペンが欲しくない可能性が高い。

そうしたら、まず一回はそれをお金にするよね。昔はお金じゃなかった。例えば中東だと羊。羊はみんな欲しがるからね。たとえばテントが欲しいんだけれども、小麦を沢山持っている。そうしたら小麦と羊10頭を交換する。この羊10頭で今度はテントと交換する。だから羊が必要なくても、一度は羊にする必要があった。江戸時代の日本では、羊は使われていなかった。なにが使われていた?

生徒：金。

違う。

生徒：米。

そう。米がその役目を果たしていた。そうしたものを「一般的等価物」と言う。私は1987年から1995年までモスクワにいた。旧ソビエトには「ルーブル」というお札があったけれども、物はほとんど買えなかった。だからモスクワではある時期から、マルボロというアメリカタバコが一般的等価物になった。タクシーに乗る時にはマルボロを見せて、マルボロひと箱で行く。レストランに行くときはマルボロを20個くらい持って行った。冷蔵庫を買いたいときは、マルボロを200個くらい持っていく。そういうことが、1989年、

90年のモスクワで起きていた。ただ一般的等価物には不便なことがある。例えば、羊だとどんな不便がことがある。

生徒：大きすぎて持ち運びが大変。

そう。それに羊は死ぬ。世話をしたりしないといけない。それに小さい単位で交換するのが難しい。だからできない。じゃあ米はなにが不便？

生徒：腐る。

そう。私は鈴木宗男事件というのがあってね。2002年ってみなさん何歳？

生徒：生まれてない。

生徒：2002年に生まれました。

そうか。そのころに、「鈴木宗男事件」という天下を揺るがす大事件がありました。私はそれに巻き込まれて、東京拘置所、つまり檻の中に入った。いわゆる「くさい飯」を食ったわけだ。なんで「くさい飯」というのか。ご飯に麦が3割入っているからだ。麦の香りというのが「くさい飯」なんだよね。でもこの麦はなかなかうまい。でもみんなは拘置所に入らないほうがいいよ。7割が白いご飯で、3割が麦なんだけれども、お正月の3日間だけ、全部白いご飯が出る。しかしこれが美味しくない。麦の方が美味しい。麦はね、新鮮だからいい香りがする。米は3年以上備蓄した古々米だ。だから味が全然しない。パサパサなの。

少し話がずれたけど、米は置いていると劣化するし、持ち運びに不便だ。そうしたら結局、一般的等価物は貨幣になる。貨幣は金か銀かのいずれかだ。なぜ金か銀なのか。理由は説明できない。「歴史的にそうだから」と言われる。大学で講義を受けたとき、「歴史的に」という言葉が出てきたら、論理で説明できないことなんだと思っていい。様々な仮説はあるけれど、自然科学のような形では説明できない。これが「歴史的」なんだ。東洋は基本的に銀、西洋は金。最終的に世界では金になった。日本でも関西は銀、関東は金。

労働力の商品化

じゃあ、どうやってお金儲けをしたらいいと思う。たとえば君は、なにか作って売るとする。何を売ってみたい？

生徒：折り紙。

折り紙か。じゃあ、君がつくった折り紙って必ず売れるかな。

生徒：売れないかも。

売れない可能性がある。でもお金があれば折り紙は？

生徒：買える。

商品がお金になるとは限らない。しかし、お金は必ず商品になる。そうすると、お金を持っているとなんでも自分の欲望が実現できるじゃない。お金が神様みたいになっちゃう。お金がすべてだと。

資本主義社会において、基本的にお金が嫌いな人はいない。お金が神様みたいになってしまうことを物神崇拝（フェティシズム）という。人間と人間の交換の中で生まれてきたお金が、いつの間にかそれ自体にものすごい価値があって、お金があればなんの欲望でも実現できると思われるようになってしまった。いま、君が欲しいものある？

生徒：服が欲しいです。

じゃあ折り紙が売れた。それをお金にして、そのお金が服になる。じゃあ、今度はお金からスタートしてみよう。君がお金儲けを考える。いま、お金を持っている。1万円を持っているよね。それで服を買って、その服を1万3000円で売る。これで1万3000円分のマンガを買う。このマンガはレアもののマンガだったので、1万5000円になる。何かを売って儲けて、何かを売って儲けて……それって終わりがない。お金が増えていくことが目的だから。売るものはマンガから学習参考書に替えてもいい。だんだんお金を増やしていくこと。これを「資本」という。

資本主義の特徴は「労働力の商品化」だ。例えばコンビニでアルバイトすることを考えてみよう。時給は950円だとする。コンビニは君を雇うことで950円以上儲かってる？

生徒：儲かってる。

そうだよね。950円より儲かっていなければ人を雇う必要がないからだ。コンビニは慈善事業をやっているわけではない。アルバイトの人を雇うことによって、それ以上の利益がある。じゃあコンビニでバイトをしたとしよう。「かわいい女の子のお客さんが多いから、レジがいいな」と言っても、店長に裏で物を運べと言われたら断れる？

生徒：断れない。

労働力商品は、指揮命令に従う。その時間内は言われたことをやらないといけないよね。労働力があったとしても、その労働はどこかに雇われないと使えない。自分でお店を持っているわけでもないし、自分で土地を持っていて耕せるわけでもない。自分が持っている能力は労働力しかない。それを販売する。これこそが資本主義社会の圧倒的多数の人たちの生き方なの。これを「労働力の商品化」という。

コンビニは950円で人を雇い、それ以上の利益をあげる。その差額分、「搾取」されているんだ。店の方からみると「利潤」とも言える。だから「搾取」は違法なことではない。資本主義社会では当たり前だ。会社員の人は、基本的に会社によって搾取されている。そうしないと会社が成り立たないからだ。資本主義において搾取をしていない資本家は、倒産した資本家だけだ。搾取していなくても、賃金が払えないのであれば最悪の資本家だといえる。これが資本主義社会だ。

労働力商品の値段を決める三要素

最初の問いに戻ると、金儲けをする方法はたった一つ。人を搾取することだ。つまり資本家の立場に立つこと。資本主義社会では、普通に働いていて大金持ちになることは絶対にありえない。ただし資本家には倒産のリスクがあるよ。

労働力商品の値段は市場で決まる。これには三つの要素がある。1か月の賃金について考えてみよう。食べて、家を借りて、服を買って、ちょっとしたレジャーをするために必要なお金。でもそれだけでは資本主義は成り立たないよね。一代で資本主義社会が終わってしまうからだ。だから子どもを育てないといけない。そのためにかかるお金も賃金に含まれる必要がある。三番目には自己教育の資金だ。私が高校生のときには、電子辞書なんてなかった。キーボードを打つ必要もなかった。でも今は、キーボードを打つのを覚えなければいけない。皆さんが大人になった時には、もっと新しい技術が出てくるだろう。あるいは中国語のスキルが仕事において重要になるかもしれない。そうしたら、勉強をしないといけないでしょ、仕事をするために。そのためにかかるお金も賃金に入っていないと経済が持続的に動かない。

ところが一つひとつの企業——みんなの中でもお父さんやお母さんが会社を経営している人がいるかもしれない——にはそんな余裕がない。会社としては少しでも多く利潤を増やしたいから、ギリギリの給料を支払うことになる。そうすると次の社会の労働者は生まれない。今の日本はこの20年で変わって、8割が自分を中流だと思っているけれども、多くの人が子どもをつくらなくなって、家を買わなくなった。なんでだろう。それを買ったら生活水準がガタっと落ちてしまうからだ。子どもをつくらない。家を買わない。そうした形で消費水準を維持している。そうすると、資本主義社会が無くなってしまう。

だから国は一生懸命子育ての支援をやるし、教育を無償化しようとする。人道的に必要な政策だと思われているかもしれないが、資本主義の国として生き残っていくためにも必要な政策だ。

資本主義は、お金持ちがよりお金持ちになる仕組みだ。貧しい人は、自分の生活費だけで、子どもや自己投資のための資金まで用意できない。より格差が開いていく。そうすると、お金持ちの人だけが幸せになる。

教育の面でも、機会は平等ではない。親がたくさんのお金を持っていて、恵まれた環境にいると教育の面でも大量のお金を投入してもらえる。そうすると格差が再生産されるよね。アメリカの大学では、1年間の学費が700～900万円、4年間いたら2800～3600万円だ。大学院に行く人も多いから最低でも4200万円が必要だ。普通の家庭で4200万円は出せないよね。なおかつ、留学するためには特別の準備が必要で、そうした準備を重んじた中高一貫の学校に入ると、その授業料で年間150万ほどする。そうするとスタートの時点で格差がある。

埼玉県における教育を考えてみても、親のお金によって、皆さんたちのチャンスにも格差がある。それではいけないと、埼玉県の公立高校は一生懸命頑張っている。君たちの学校もそのひとつだ。

難しい高校に入り、勉強できる機会があること、その機会を最大限に活用して社会の中で生かせるようなことをしてほしい。ぼくの父親も母親も大学は出ていない。公立の小学校、中学校から公立の高校に行って、大学は自分のやりたいことをやって、その大学を卒業した後は、外務省の外交官試験を受けて、その試験に合格して外交官になれた。戦前だったらそんなキャリアはあり得なかった。外交官になったほとんどの人たちは貴族や大金持ちの家庭生まれだった。一般家庭の子どもが外交官になれる可能性は低かった。

これから君たちも、社会の中でどのような職業選択をするのか考えていくと思う。日本の国は、その辺にとてもフラットだ。公務員試験、外交官試験、司法試験、総合商社の就職試験でも家柄は関係なく、その人の能力だけが問われる。大学に入って勉強することで、十二分に逆転できる。いわゆる偏差値とは全然関係ない。

でもあるレベル以上の学校にいないと、良好な教育が受けられないのも確かだ。だから川口北高にいると、いろんなチャンスがある。受験自体を目的化するんじゃない。繰り返すけど受験勉強は無駄にはならない。社会に出たときの基礎になるからね。志を高く持ち、自分のいま思っている大学よりも一段高いところを狙う。その大学の中で頑張ってみて、社会に貢献できるものを探す。これもひとつ。

みんなの中には、高校に入って勉強に躓いてしまった、クラスで真ん中よりも下になってしまって、なかなか成績が上がらない人もいるかもしれない。しかし考えてみると、ここにいるほとんどの人が中学校ではクラスで5番以内にいただろう。なおかつ記憶力がよくて情報処理能力の高い人は全然勉強せずに、ちょいちょい定期試験の前に1週間勉強して、入試の前に3か月間集中して勉強すれば合格することができた。でもその時の要領では、高校で通用しない。高校では中学と比べて覚えなければいけない量が4倍から5倍ある。中学のときのやり方でやったら確実に取りこぼしてしまう。それが高校の怖さだ。そうした問題をみんなの中で抱えている人がいたらね、まだ2年生が始まったばっかりだから、半年やれば挽回できる。

いま私がやっている授業は難しいよね。大学に入ってどのレベルの授業が行われているのかを知ってもらう狙いがあるからだ。今言っていることが分からなくても構わない。わからなくても、2年後にはこういう勉強をするんだよ。

それがどのくらい記憶に定着するのか。記憶に定着していないのは、理解できていないからだ。理解ができていないのは、基礎的な積み重ねがまだ不十分だから。自分の今持っている力より2割ほどレベルの高い内容に取り組んでいかないと、学力は伸びない。

代議制民主主義は市民社会の論理と矛盾する

さっき話した貨幣や物神崇拝、資本の説明は、マルクスが「資本論」で書いていることの要約だ。「労働力の商品化」という、資本主義の仕組みについて話した。マルクスは社会主義思想の祖だから、革命家のように思うかもしれないけれども、彼には資本主義社会を客観的に論理的に見た経済学者の一面もある。マルクスの視点は、大学の社会学でも見られるし、高校の政経の教科書や倫理の教科書にも生かされているよ。

社会の集団的な対立は、民族的対抗と、権力衝動の競争とによっても生み出されることがある。それらの対立は、マルキシズムが仮定するように、普遍的に経済に帰因するものではない。しかし所有権と経済力との問題は、それが第一義的な要素ではない場合でさえも、通常、このような対立にまきこまれているものである。概して言えば、人間歴史における階級闘争は、経済力を持つ者と、それを持たない者との競争であり、持たない者は、欲望と、空腹と、忿怒とによって経済的に持ちすぎた者の権力に対する挑戦へと駆りたてられるのである。このような闘争は表面化しないことはあっても、如何なる社会にも常に存在するものである。しかしながら、この階級闘争は、近代産業社会においては日を追って表面化し、また苛烈になって来ている。(本文90頁)

昨日も説明したけれども、産業社会は機械を動かさないといけないので、マニュアルを読む必要がある。計算能力も必要だ。だから教育を重視する。その結果、知的な水準が上がるので、世の中の不正や搾取の構造が、搾取されている人にわかってしまう。

中世までは文字を学ぶことや、計算する能力をつけることを奨励しなかった。そうしたことを勉強せずに、朝から晩まで働いて農業に従事していた。学問によって民衆に余計な知恵がつくのは面倒だと統治者は思っていた。学問は一部の人の特権だった。学問がすべての人に開かれたのが産業社会だ。

産業社会では、本来ならば流動性があるはずなんだけれども、ある程度資本主義が進んでいくと、上層と下層が固定される。そしたら、経済的な格差だけではなく、希望の格差も生まれていくんだ。将来の自分の可能性に対して、貧困層の子どもたちは諦めてしまう。高校や大学に進学するのではなく、その日、暮らしていければいいやと。でも外からは「あの人たちはやる気がない」と見られて、排除されてしまう。でもそれは、社会構造から生まれていくことが非常に大きいんだ。

相対立する両勢力の間にいかなる共通の基盤をも持つことなしに一つのコミュニティが問題に直面する時には何時でも、対立の結果として起こる社会軋轢は内乱の大きさにまで発展する可能性がある。デモクラシーは、社会に存在する種々の階級の間には自然の調和があるということを公然と前提しているにもかかわらず、近代のデモクラティックなコミュニティが、競争対立の難問としての、財産問題の故に内乱に脅かされ、その内乱の中に捲き込まれて来たということは注目に値することである。この内乱は、ドイツとフランスの災禍を助長し、ナチの専制政治を防ぐ文明の働きを困難におとしいれた。なぜなら、ナチの道徳嘲笑主義者たちは、彼らが滅ぼそうと思っていた国々の内部において、最初は有産階級を、次には無産階級を、彼らの同盟者だと思い込ませることに成功したが故に、文明を向こうにまわして彼らが始めた政治的戦争に成功したのである。

（本文91～92頁）

ナチスはどうして政治的戦争に勝利したんだろう。民主主義的な選挙制度に構造的欠陥があるからだ。いま、18歳選挙権ができてきたよね。「政治に参加しよう」と新聞も言うし、学校でもそう教える。ただ学校は政治的中立性が非常に重要だから、特定の候補を支持するように生徒に教えることはダメだ。

さて、現代の民主主義は代議制だよね。代議制ってどういうこと？

生徒：投票して、政治家を選ぶ。

そう。その政治家たちが政治を行う。政治はプロが行うのが代議制だよね。じゃあ、選挙のあと、投票した市民はどうしたらいい？

生徒：投票した政治家に自分たちの意見を反映してもらえるようにする。

うん。そうなんだけれども、日常的にはどうかな。政治をやらないよね。政治をやらずにプロに任せるのが代議制、現代の民主主義の基本的な考え方だ。「みんなが政治に関心を持とう」と言うけれど、市民社会の論理と矛盾している。市民社会は政治に煩わされずに、欲望を追求する場所だ。ある人は経済活動を行い、ある人は文化活動を行う。政治はプロに頼んで、煩わされない。つまり戦争や内乱が起きない、泥棒がいない、そうするように政治家たちはやってくれと。あとはみんな欲望を実現する。その代わりに税金を納める。その税金で政治家も国家も運営する。これが代議制の考え方だ。

だから経済状態がいい国では、国民の政治意識は先鋭化しない。それに対して経済状態が悪くなると、国民は経済状況を解決してくれと政治家に文句をつける。しかし政治活動を国民が行うということは、その時間、経済活動を行えないわけだから、ますます経済は悪くなる。

政治に先鋭的な意識が出てきて、政治が国民の期待に応えず、議会が形骸化していると、議会以外の場所で物事を決めようと、デモが頻繁に行われてしまう。そういう状況をナチスは利用した。労働者のデモがあるときに、「われわれナチスはすべての人は働くべきだと思う、共産党のデモを弾圧しよう」とお金持ちの味方をした。それで共産党を弾圧すると、お金持ちたちを「あいつはユダヤ人だ」と言った。お金持ちのユダヤ人から富を奪おうと、今度は労働者たちを反ユダヤ主義に煽り立てて味方につけた。最初は金持ちの味方、そのあとは労働者の味方だと言って、権力を握ったのがナチスなんだ。そこには自分たちが本当にやりたい政策や、どんな国をつくっていこうかというビジョンはない。あるのはシニシズム、冷笑主義だけだ。

それはナチス党の正式名称を見てもわかる。ナチスは「ドイツ国家社会主義労働者党」と言う。ドイツ人の政党で、国家を大切にして、社会主義を実現して労働者の味方です、名前に全部が入っている。ギリシア神話のキマイラのように、なんでもくっついたグロテスクな化け物だ。ある時は国家主義者、ある時はドイツ至上主義、ある時は社会主義と、都合よく変化させてきた。国民はそれを見抜けなかった。

ナチスはさらに「反知性主義」でもある。例えば理屈で反論しようとしたら「それがなんだ、理屈で世の中よくなったの？」とこういう態度を取るんだ。反知性主義者が恐いのは、知性がないところではなく、知性を憎んでいることだ。この人たちは知的な言語では説得できない。露骨な暴力をつかってくる。だからニーバーはそういう状況に対して「説得だけでは無理なので、暴力に対しては暴力で応えなければいけない」と考えた。つまり戦争をする必要があると。ニーバーは平和主義者ではない。だからアメリカの大統領は彼の思想に魅力を感じるんだね。

私的所有権の概念は時代と地域で変化する

民主主義的自由主義の信条に従えば、財産権は自然法によって保証された「譲渡し難き」権利の一つである。マルキシズムの思想においては、私有財産の発生は、人間歴史における一種の「堕落」をあらわすものとされている。あらゆる社会悪の由来を尋ねると、それは、この私有財産という悪の根源から出て来たものだということがわかる。ソ連が一つの世界的勢力として勃興して来たにもかかわらず、現在の世界的危機は、自由主義の信条と同様、マルキストの信条をも信用出来ないものとするかもしれないのである。しかし、現代デモクラシーの世界は、これらの相反する財産観によって生み出された争いや、社会的対立を、直ちに解決することは出来ないであろう。（本文93頁）

さて、日本では個人の財産が私有化されたのはいつごろだと思う？

生徒：墾田永年私財法から？

その時は「私有権」という考えではない。土地自体はあくまでも公のもので、お借りするという発想なんだ。誰の土地なのかはっきりするのは、明治6年の地租改正からだ。じゃあ、誰のものでもない土地はどうなった？　天皇の所有になった。戦前において、天皇家は最大の地主だったわけだ。日本においても所有権が出てきたのは意外と新しい。例えば、「私はこの本を持っています」を英語で言うと。

生徒：I have this book.

でもロシア語では、"This book exists by me. と表現する。「この本は私のそばにある」と。これはロシア人の私有財産概念を非常によくあらわしている。ロシアは私有権よりも、「占有権」の発想が強い。自分がとりあえず使うことのできる権利があるという発想で、これが自分のものであるという感覚が薄い。だからロシア語では、英語の have に該当する動詞は使わない。例えば家の前に自転車を停めて、鍵をかけなければ、ロシア人は勝手に乗っていったりすることがある。みんな泥棒だと思うけれども、ロシアの感覚では道に鍵をかけずに置いてあるものは、持っていっていい。誰のものでもないとみなされる場合がよくある。所有権の感覚は、国によってすごく違う。日本人も所有権があまり強くない。例えば、横並びを重視する感覚があって、お互いにやきもちを焼かないことを非常に重視する。

基本的に私的所有権があるものは、自分の自由で処理していいよね。自分の持っているシャーペンを捨ててもいいし、人にあげてもいい。でも簡単には言い切れないケースもある。例えば、私の持っている本は私の私有財産だよね。もし10万円分の本を買って、このクラスでアオキ君だけにあげると言ったらどうだろう。個人的には勝手にやっていい。でも公立学校の中でそれをやっていいのかは微妙な問題だ。日本人の所有権の感覚では、公立高校なのに特定の生徒を優遇するのはよくないと考える。

これは、どちらの方が正しくて、どちらが間違っているという問題ではない。そういう文化にいるならば、ある程度は従ったほうがいい。覚えてほしいのは、所有に対する感覚については、国や地域によって様々なルールがある。それを尊重するのは重要なことだ。

カトリック教会は昔の日本と一緒で、土地は神様のものであって私的所有するのはおかしいと、中世までは考えていた。でもそのうち、所有権は神聖なものであると言い出す。どのように変化していったのか、読んでみよう。

この教理と、教父たちの最初の教理との間の相違点として強調すべきことは、近代の、あるカトリック神学者によって次のように説明されている、「社会主義の著作家たちが、財産は自然法によっては存在しなかった、という教父たちのある著書を読んだが故に、財産は咎められるべき不法な制度だという結論に達したことによって、非常な混乱がひきおこされて来たのである。これ以上の大きな誤りはない。教父たちがこれらの章句において意味したことは、異教徒たちの理想化された黄金時代や、キリスト教徒たちのエデンの園における自然の状態にあっては、物の個人的所有権はなかったということである。しかし、人間が、この理想の状態から堕落するやいなや、コミュニズムは不可能となってしまった。……この限りにおいて、教父たちが財産を認めなかったというのは正しい。私有財産は堕落によって必要となった制度の一つだったのである。（…）」（本文95頁）

人間が神様に作られたときは、理想的だった。しかし人間は、神様が善悪を知る木の実を取ったらいけないと言ったのに、その実を取って食べてしまった。しかも、アダムは「女に言われたから食べた」と、イブは「蛇に騙された」と言い逃れをして、嘘をついてしまった。

それが堕落なんだ。
人間が自然の状態でいると、原罪がある。昨日説明した「原罪説」だね。原罪から悪が生まれる。この世の中では悪があるほうが自然なんだ。この世の終わりに理想的な状態になるまではね。そうすると、財産や差別、疫病があるのは自然な状態になる。財産を一定の人が持って、一定の人が貧しいということは、人間の罪として仕方がないのだと、カトリック教会は理屈をすり替えてきた。

しかしながら、正統派（オーソドックス）のプロテスタンティズム、特に、カルヴィニズムは、何の躊躇も区別もなく、財産の相違を承認した。カルヴァンの場合、財産のこの無批判な承認は、彼の極端な決定論に起因している。財産が存在するが故に、それは神の御旨にちがいないと彼は信じたのである。（本文96頁）

昨日説明した「予定論」から考えると、成功する人は生まれる前から決まっている。神様に選ばれているから、たくさんの財産がある。その財産はどうやって使えばいい？　自分の浪費や欲望で使うのではなく、社会のために貢献しないといけない。新しい産業を興して投資をして、そのお金で投資をする。そういう形で社会に貢献していくのだと、カルビニズムと資本主義は広がっていった。ほかにも若い人たちに、自分の持っている財産を奨学金として出す。財産を持っていることは悪ではない。神様から選ばれて財産を持っているので、そのお金を社会のために使えばいい。

お金を持つと、権力も持つし、欲望も実現できる。「お金を増やして、社会のために貢献するんだ」と言うけれども、だんだんお金だけが目的になっていき、自分のためや自分の家族のために使うようになり、社会に奉仕しなくなる。ごく一部だけ、チャリティとかでお金を払って、あとは自分の金儲けをしている。そうしたインチキになってきた。

当初言っていた博愛や、他者のために自分の能力を使うことはどこにいったんだ、とキリスト教の「セクト」と呼ばれる人たちや、マルクス主義者が批判するようになった。

資本主義は格差を広げる

正統派のカトリシズムも、正統派のプロテスタンティズムも共に、初期キリスト教の慎重さを忘却してしまい、財産に関して、ますます無批判の正当化を与えようとして来たものとすれば、社会的反乱が封建主義に対する宗教的反逆と結合した一六、七世紀の教派的キリスト教は、マルキシズムの理論において遂に最高点に達したところの財産倫理の基礎をすえたものである。ヨーロッパ大陸の再浸礼教徒も、イギリスのディガース(アナバプティスト)も平等主義者であり、コミュニストであった。彼らは人間が原始の罪無き状態を取り戻すことが出来ると信じ、この復古の根本的な方法は、原始的コミュニズムへの復帰だと考えた。（本文97頁）

「アナバプテイスト」とはなにか。生まれたときに洗礼を受ける人が多いが、大人になって自分で自覚して洗礼を受けた方がいいと考える人たちだ。「ディガーズ」は、穴を掘ってその中で質素な生活をするべきだと主張した。これも急進的なプロテスタントの人たちだ。

今のイギリスの一部でも、一切お金を使わずに生活をしている人がいる。例えば、『ぼくはお金を使わずに生きることにした』（紀伊國屋書店）という本がある。1年間お金なしで生活をした人の記録だ。どうやって生活するか。友達から譲ってもらったり、ごみを拾ったり、ヒッチハイクはＯＫ。拾った自転車で移動し、廃棄されたコンピューターを使って、キャンピングカーのお古をもらって住む。ご飯はスーパーマーケットで賞味期限の切れた食材を食べる。時には、40人を集めてパーティをやったりね。そうやって、1年間うまく生活をしていった。「ミニマリスト」と言うんだけどね。日本の路上生活者とは違う。清潔で、かつ文化的な生活はしていける。今の「大量消費社会」に対する否を唱えている。これはディガーズの伝統があるからだ。

昨日と比べて、みんなテキスト読めるようになっているね。読み方を聞いていると、理解の度合いが進んでいるのがわかる。昨日よりも進みが早くなっているのはみんなが読めるようになってきているからだ。さぁ、続きを読もう。

カルヴィニズムの経済観と、ウィンスタンリーによって代表される教派(セクト)的キリスト教徒の経済観とは、このようにして、一六世紀から今世紀にいたるデモクラシー世界を二分して来たところの、相反する財産観の萌芽を含んでいるのである。相対立した階級がそれぞれに、これらの思想をその武器としてたたかうところの近代階級闘争でさえも、一六、七世紀においてすでに予見されていたのである。なぜなら、カルヴィニズムは、全体として中産階級の宗教であったのであり、教派主義は無産者の宗教であったからである。(本文98頁)

資本主義は格差を広げてしまう。勝ち組になるのは、カルバン主義の人たちだ。カルバン主義の人たちも最初は禁欲的で、できるだけ働き、自分の能力を出すことが神様のためだ、社会に還元しようと勤勉に働く。しかしお金には権力と魅力がある。いざお金が貯まりはじめたら、社会にはほんの少しだけ還元して、自分のために貯めこむようになる。そうやって格差が広がっていくと、今度は不平不満が生まれて階級闘争が起き、コミュニティが成り立たなくなっていくんだ。

「私」と「環境」は切り離せない

商業文明や工業文明の錯綜と複雑さとが現代の初期には単に予想されなかったという事実から、自由主義的財産説をとなえる個人主義が時として導き出されるのである。ジョン・ロック (John Locke) は財産の正当化を、最も単純な農業経済の考察から誘導しているのは意味深い。

ロックにとっては財産というものはもともと、人間の力の延長である。彼は言う、「あらゆる人間は、彼自身の『人(パーソン)』の中に『財産』を持っている。……彼の肉体の『労働』も、彼の手の『働き』もまさしく彼のものであると言える。それ故に自然が与えたままの状態から動き出て、労働を加味し自己の持物をそれに合する者は誰でもそのことによってそれを自己の財産とするのである」。（本文101頁）

ここでは「彼自身の『人(パーソン)』の中に『財産』を持っている」というロックの考え方が紹介されている。この考え方にはどんな問題があると思う。

生徒：社会にお金を還元しようとしない。

それも一つだね。もう一つの重要な問題は環境についての視点が抜け落ちていることだ。例えば、私が1日仕事をしたら3000円、君なら1万円稼げるとする。ロックのように考えると、私より君が稼いでいるので、君のほうが人間としての財産が大きいのだという理屈になる。生まれながらにして持っている自分の財産が大きいので能力も高く、お金をたくさん稼げるのだと。貧乏なのは自分の運命が悪いんだとね。

でも違うよね。スタートアップでお金を持っている人の方が圧倒的に有利だ。われわれは日本で生まれたから高等教育を受けられるが、貧しい国で生まれていたら食うための職を探すので大変だったかもしれない。日本より豊かだったベネズエラだって、政治が不安定なせいで、今や多くの子どもたちがゴミを漁って生きている。それは能力の問題ではないよね。環境の問題だ。

だから「私」は「私と環境」なんだ。これはスペインの哲学者オルテガが言ったものだ。「パーソンの中に財産を持っている」と考えると、環境の問題が無視されることになる。

この理論は、原始社会における財産の起源を歴史的に正確に跡づけたものだという点に長所がある。ロックが、「理性の法則によれば、鹿を殺したインディアンは、その鹿の所有者となる」と言う時、彼は人類学的研究が確認して来た歴史上の発展を描写しているのであるが、ロックの理論は狩猟時代の社会におけるコミュニスティックな要素をも、遊牧時代における遺制的コミュニズムをも公正に取り扱っていない。(本文101頁)

昨日のおさらいをしよう。狩猟採集の社会では、社会はあるよね。国家は？

生徒：ない。

農業社会で社会は？

生徒：ある。

国家は？

生徒：△

ある場合もない場合もある。古代のメソポタミアや中華帝国は巨大な農業国家だった。中世ヨーロッパの農村や、戦国時代の日本の農村には国家機能がない。では産業社会においては？

生徒：ある。

国家は？

生徒：ある。

どうして国家がないといけないの？

生徒：教育をしないといけないから。

そう。産業社会では、マニュアルを読み、計算をする力が必要だ。これほど大がかりな教育を維持できるのは国家だけだ。だから国家と教育は結びついている。

ブルジョア的財産観の個人主義は、往々にして商業文明の経験に意識的に結び合わされている。この経験は、財産の個人主義的な名目的証券の背後にその社会的機能を多くかくしている。

個人的に手に入れやすいということと、扱いやすいという条件において、商業財産は、土地財産よりも遥かに流動性がある。株式も、証券も、債務証書もみな、引き出しの中に押し込めておくことが出来るし、土地の場合のあの財産の譲渡に伴う困難もなく、他者に引渡すことが出来るのである。しかも、これらの紙券は、より実質的な何ものかの名目的象徴であり、銀行や商業会社や保険会社や、その他社会における複雑な相互作用を示すところの、あらゆる種類の財産の象徴である。（本文102頁）

ここはすごく重要なことを言っている。株ってなに？

生徒：株式会社が出すもの。

株式会社が出す証券だよね。さっき話した「価値」と「使用価値」を当てはめると、株の価値は株価だ。では使用価値はなんだろう。なぜ株を買うの？

生徒：会社が儲けたら、利益がもらえる。

そう。配当があるからだよね。要するに使用価値は儲けへの期待だ。期待が使用価値を生む。でもさ、ただ株を持っているだけでお金が入ってくるなんて、うますぎる話だと思わない？会社は元手のお金で、なにか商品を購入して、あるいは労働力でものをつくって、販売して、儲ける運動をし続けないといけない。でもその動きが止まったり、動いている企業の価値がなくなったら、株にはなんの価値もない。紙切れ、今なら紙切れですらなく、数字のデータになる。これを「擬制資本」と言う。
「持っているだけでお金が増えますよ」と言う背後には、資本の運動が隠れているんだ。それは一種の妄想や幻想かもしれない。だから会社が倒産すると株式は0になってしまう。

集積と集中から独占資本へ

じゃあ、次の人、続きを読んで。

自由主義的理論の個人主義は、往々にして、資本主義発達の極く初期の経験から出て来ているのであって、それは資本主義の後期の経験によって論駁されて来たものである。古典経済学において、たとえば、配当金を道徳的に是認するのは、芽生えそめた初期資本主義の経験に基づいている。配当金は直ちに満足をむさぼることを慎んだことに対する報いともみなされ、また、労力の報いを消費してしまうことを個人に慎しましめることによって、運転資本をつくり上げるための、なくてはならない刺激物ともみなされているのである。事実、多くの商業上および産業上の事業は、勤勉で勤倹な個々人の貯金によって起こされたのである。ところが、有利な事業は直ちに莫大な報酬をもち来たらせるが故に、それは、貯蓄と贅沢な消費との両方を可能にする。貯蓄と投資に関する個人主義的観念においては、最初の所有主以外の多数の人間の労働がその報酬に貢献しているという事実が、曖昧にされているのである。（本文１０３頁）

はい。「曖昧」は現代文の入試でよく出てくる漢字なので覚えておいてね。

技術の進歩は、労働者をして、自分自身の道具を所有することをも、働く場所を所有することをも不可能にしてきた。機械が象徴する富も、機械が生み出す富も、両方とも、複雑な共同的職務によってつくり出されるものである。このような生産過程を「個人的」所有とするのは、時代錯誤であり、また、事実と一致しない。そして、このような中央集権的な権力の個人的な支配は、不正への誘引となるものである。（本文１０３〜４頁）

ところでさ、道具と機械ってどう違う？　ハサミは道具？　機械？

生徒：道具。

自動車は？

生徒：機械。

どこが違う？

生徒：電子回路が入っているか？

じゃあさ、富岡製紙工場の機織り機ってあるじゃない。あれは道具？　機械？

生徒：機械。

どこが違う？

生徒：道具は何かをするために必要なものの一部？

そう。道具は自分の延長だよね。いいところに気が付いた。でも、機械は人間が機械の一部になる。

人は道具を使う、けれども機械には使われてしまう。道具が自分の手や足の延長線上であるのに対し、機械は機械のルールがあり、そのルールに人間が従わなければいけない。これが道具と機械の一番の違いだ。

だから道具を使っている仕事は面白いけれど、機械を使う仕事は退屈になる。例えば、コンピューターで自分の書きたい文章を綴っているとき、コンピューターを道具として使っている。でも「コンピューターの数字を見て、これくらい株価が下がってきたらすぐに連絡しろ」と言われているときは、機械の一部として使われている。同じものでも、使い方によって道具とも、機械ともみなせる。「機械論」はものすごく難しいテーマだ。

近代のあらゆるデモクラシー社会は、政治力を利用して、経済上の不平等を矯正してゆくことをはげんで来たのである。このような過程は、政府はただ単に有産階級の執行委員会にすぎないものだ、とするところのマルキストの論題を無効にしてしまった。しかし他方、このように政治力の利用をもってしても、社会に内在する経済力の非常な不均衡によって惹き起こされた産業上の危機から、近代産業社会を救うことは出来なかったのである。(…)なぜなら、過大な富が資本投資のためにますます蓄積され、消費のための分配が過小となるからである。それ故に、このような状態に関するマルクス主義的解釈の一部分は歴史によって有効なものとされて来たのである。(本文104~5頁)

ここで覚えてほしい言葉がある。「集積」と「集中」だ。集積と集中はなにが違うか。一つの企業、ひとつの資本がどんどん仕事を拡張して大きくなっていく様子が「集積」だ。そうやって力をつけた会社が、会社を買って大きくなっていくのを「集中」と言う。

最初は資本が「集積」し、大きくなった会社が他の会社を買って「集中」していくと、ものすごく強い独占資本が生まれてくる。ここではこういう話をしているんだ。さて、続きを読もう。

生産的資産の社会的性格に関するマルキストの概念は、ブルジョア的観念よりも、明らかに真理に近いことは事実であるが、それは、不幸にして、特権階級、ことに、アメリカにおける特権階級の歴史の教訓を無視しようとする態度を矯正するものとはなるまい。恐らくアメリカは、かつてのより純粋な個人主義を取り戻すために、真面目な努力を払うであろう唯一の国と思われる。古典的自由主義の発祥地であるイギリスにおいては、古い封建的財産観が有力な保守党と、緩和されたマルキシズムの知識を吹きこまれた労働党との間の溝は、アメリカにおける対立勢力間のそれほど深刻ではない。アメリカにおいては、マルキストの信条に対する宗教的帰依は全然ないのであるが、それにもかかわらず、これら対立勢力の間に深い溝のあることは事実である。（本文105〜6頁）

産業革命の復習

では、ここで産業革命について復習をしてみよう。世界史の教科書を開いて。

> イギリスの産業革命は、マンチェスターを中心とするランカシャー地方の綿工業の技術革新から始まった。(…)織機や紡績機の改良があいつぎ、生産力が高まっていった。(…)生産の中心が農業から工業に移り、各地に商工業都市が生まれた。(…)このような「農業社会」から「工業社会」への移行は産業革命と呼ばれる。(世界史B 182頁)

綿織物の前に毛織物産業があった。毛織物は羊の毛を使うんだね。当時のヨーロッパでは毛織物が非常に儲かるので、エンクロージャー運動(囲い込み運動)が盛んにおこなわれ、農民を追い出して羊を飼うようになった。トマス・モアは「羊が人を食う」という有名な言葉でこの状況を批判した。

なぜ毛織物の需要が増えたのか。ヨーロッパが寒くなり、みんな厚着をするようになったからだ。例えばアイスランドも氷河におおわれているが、昔は今よりも暖かかった。それで人が住み着くようになった。北極で恐竜の化石が発見されるのも、その時の北極が暖かく、夏に植物がたくさん生えていたからだ。

地球が寒くなり、毛織物を着るようになったが、毛糸は着色が難しいし値段が高い。しかし綿織物の技術が生まれると、好きな色に染められ、値段も安くなった。だから爆発的な人気を得た。そして綿織物の機械が生まれたのが、産業革命のスタートだ。

> 繊維産業などの軽工業から始まった産業革命は、鉄鋼業など重工業にも広がり、交通手段の改善なども進んだ。(…)蒸気機関を利用した蒸気機関車は急速に普及し、(…)ほぼ全国的な鉄道網が完成した。(世界史B 183頁)

いま電車を使って通学している人はどれくらいいるかな。どの電車に乗っている?

生徒:宇都宮線。

宇都宮線とか高崎線とか東海道線は、今はJRだけれども旧国鉄だよね。これはもともと軍用鉄道だったんだ。鉄道には軍用鉄道と巡礼鉄道がある。軍用鉄道は軍事物資や兵員を輸送するなど、戦争に備えてつくったもので、比較的まっすぐな線路だ。巡礼鉄道は宗教的な土地を回るためにつくられたもので、サウジアラビアのメッカやエルサレムの地下鉄はそれにあたる。たいていの巡礼鉄道は私鉄だ。

生徒：京急大師線。

そうそう。埼玉だと？

生徒：東武日光線。

まさに典型的な巡礼鉄道だよね。あるいは西武秩父線も巡礼鉄道の要素がある。これに対して秩父鉄道はどちらかというと産業用で、セメントを熊谷に運び、軍用鉄道である高崎線につながっている。高崎にはもともと連隊があったからね。高崎の連隊の跡地に、いま高崎経済大学が出来ている。鉄道というのは軍事と非常に結びついている。そのことを理解してほしい。

ところで、アフガニスタンには鉄道がないのを知っているかな。19世紀にグレートゲームが行われたことの影響だ。北から中央アジアに勢力を伸ばしていたロシア軍と、インドから中央アジアを支配しようとしたイギリス軍がアフガニスタンでぶつかってしまった。鉄道があると、どちらかの軍事侵攻に加担することになる。アフガニスタンは中立を選び、鉄道を建設しなかった。しかし、交通革命が起きなかったアフガニスタンは、国の統一ができず、部族ごとに群雄割拠の状態だ。国が生まれるときには、国民共通の意識が必要で、鉄道はその鍵を握っているんだ。

産業革命によって、工場制機械工業による大量生産が定着すると、熟練技術の意味が薄れ、多くの職人が職を失った。（…）機械や動力が使われるようになった工場や炭坑では、賃金の安い女性や子どもが多く雇われた。こうした状況から、工場法がしばしば出されて、労働時間の短縮、児童や女性の労働条件の改善がはかられた。

労働者は、団結して労働組合を結成し、労働条件の改善を求めた。（…）こうした運動のなかから、資本主義そのものを批判し、理想の社会の実現をめざす社会主義思想も生まれた。（世界史B　184頁）

産業革命によって労働者が仕事を失ったように、AIの普及によってホワイトカラー、いわゆる事務職員の人たちが、大量に失職する未来が10年以内に訪れる。皆さんが社会に出るときには、かなりの失業者が生まれているだろう。例えば、帳簿をつくるのもAIがやってくれるし、銀行の窓口の審査もAIがやってくれるだろう。今まで熟練労働者と言われてきた人たちがいらなくなってしまうので、大量の失業者が出てきて、低賃金の働き手になっていくことが数年以内に起こるだろう。

重農主義と重商主義

マルキシズムは財産の問題に関しては、自由主義よりも、より真理に近いとはいえ、マルキシズムがとなえる財産の社会化は、この問題の解決には単純すぎるものである。マルキストの誤謬を分析してみると、マルキシズムと自由主義とは財産の観念に関しては対立しているにもかかわらず、両者の間には奇妙な類似性がある。（本文106頁）

「分析」ってなんだろう。

生徒：資料を調べたりすること？

それは「調査」だ。「分析」とは論理学の言葉だ。「黒犬は黒い」というのが分析なの。主語の「黒犬」の中には「黒い」という意味が含まれている。主語の中に結論があるのが、分析だ。「黒犬は利口」と言うのは分析ではない。「総合」だ。主語の外側の情報で結論を出すことだ。

つまり「社会情勢を分析する」というときは、今あるデータの中から、結論を読み取ることを指す。日常用語では「分析」と「総合」がかなりいい加減に使われているが、論理学の世界においては、分析と総合はまったく違う概念だ。

> 後にあらわれた重農主義理論や、自由放任主義理論においては、財産や、富の利子や、給料や、その他経済過程におけるあらゆる要素は、自由市場と自由競争によって自働的に均衡を保つものだと仮定されている。（本文１０９頁）

それでは、英語の方を読んでみよう。

> In later physiocratic and laissez-faire theory it is assumed that property, interest on wealth, wages and every other element in the economic process are held in automatic balance by the free market and competition.（本文１０８〜９頁）
>
> （後にあらわれた重農主義理論や、自由放任主義理論においては、財産や、富の利子や、給料や、その他経済過程におけるあらゆる要素は、自由市場と自由競争によって自働的に均衡を保つものだと仮定さ

れている。）

これは英語の文章として非常によくできているから後でノートに写して、どの単語がこれに該当するのか調べてごらん。そうしたら英語の力がつくからね。

"physiocratic"は重農主義のことだ。「重商主義」は、貿易が富の源泉であるという考え方だ。それに対して、貿易は右から左に物を動かすだけで、富の源泉は農業だと考えた人もいた。フランソワ・ケネーやダランベールといった、農業王国のフランスから生まれた「重農主義」だ。この人達の重要な仕事は、百科事典『百科全書』の作成だ。この本を一冊読めば、今の世の中の知識が基本的にわかりますよと。重農主義者が、百科事典を生んだ。

「自由放任主義理論」は「見えざる手」という考え方だ。放っておけば、自然に均衡になると。重農主義者は「見えざる手」とは言っていないが、自然と理想的な均衡点が決まると考えている点において、自由放任主義理論と同じだった。でも実際はそんなことはできない。そこで「原罪説」がある。

ちなみに、君はカレー好き？　どれくらい食べられる？

生徒：一皿。

人間はね、本当だったら一皿食べる以上のお金はいらない。例えば君が１０００円持っていて、カレーを600円で買ったとして、残りの400円誰かにあげちゃう？

生徒：あげません。自分で持っている。

それが人間の心理だよね。自分が必要とする以上の富を、蓄えておきたいと思う。お金を持っていれば自分の欲望をなんでも実現できるのだから、他人が飢えていてもお金を持っていたほうがいい。そうしたら、均衡なんてこないよね。これがニーバーの考え方だ。

ところで、英語と日本語の文章の大きな違いは、英語の文章には一つのパラグラフにひとつのテーマしか書いてはいけないという大原則があることだ。伝えたいことが変わったら、段落を変える必要がある。だから英語の段落分けには全部意味がある。それが英語で文章を書く時の強い約束だ。アメリカやイギリス、ドイツでは、この段落で何が言いたいのか、という訓練を高校の時から徹底的に受ける。

マルキシズムは、財産の社会化はコミュニティにおける経済力のあらゆる不均衡を撲滅するものだと仮定する。マルキシズムは革命の彼方における権力の完全な均衡を期待しているが、それはちょうど、自由主義理論が現代社会における経済過程の特質として考えているのと同じことである。普遍化せられた財産でさえも、特殊的利益のための手段となりうるということをマルキシズムは理解していない。

マルキストの幻想は、ロマン主義的人間観に幾分は起因している。（本文110頁）

さて「ロマン主義」ってなんだろう。世界史のロマン主義のページを読んでみよう。

> ロマン主義は、（…）調和を重んじる古典主義や、理性を重視する啓蒙思想に反発し、調和よりも躍動を、理性よりも自由な感情を、普遍性よりも個性を重視した。このことは、個人と民族の自由や独自性を求める社会の風潮に合致した。（世界史B　201頁）

ロマン主義は「ローマ」と似ているから、ローマを理想にしていると思うのは間違いだ。古代ギリシアやローマを理想とするのは、「ロマン主義」ではなく「古典主義」だ。自分を大切に、理屈よりも感情が重要なんだと。だから恋愛と結びつきやすいんだよね。ロマン主義は、古典主義や、理性を重視する啓蒙主義に反発して、調和よりも躍動、理性よりも自由な感情を、そして普遍性よりも個性を重視した。そうしたロマン主義を続けると、成功すると思う？

生徒：しない。

そうだよね。理性よりも感情を重視して、普遍性より自分の個性を重視しても、他から浮くだけだ。結局は壁にぶち当たって挫折してしまう。そうしたら何が生まれてくる？

生徒：ニヒリズム。

啓蒙主義↓ロマン主義↓ニヒリズム、その先にヒトラーが出ることは覚えておいてほしい。

人間はそんなにいいものじゃない

マルキシズムは互いに競い合おうとする人間の性向は、財産制度によって歴史の中に持ち来たらされた一つの堕落だと考える。それ故に、財産を社会化すれば、人間の利己主義はなくなると推定するのである。考えうるどのような社会においても存在する、永久不変で根強い人間の利己主義の性格を理解することが出来ないために、マルキシズムは革命の彼方における人間の行動に関して、まったく誤った評価を下すこととなるのである。（本文110～1頁）

社会主義者は、こう考えていた。社会主義社会になって搾取がなくなり、機械や工場や銀行を国有化すれば、貧しい人は誰もいない社会になると。人々は自分の利己主義を克服し、本来の優しい人間の姿に戻るんだとね。でも人間はそんなにいいものじゃない。原罪があるから気をつけないといけないとニーバーは指摘している。

実際、ソビエト体制は収容所を大量につくり、人権弾圧を行っていた。決して理想的な社会とは言えなかったと、のちの我々は知っている。でも1944年時点で、それが見えたのがニーバーのすごいところだ。

資本主義の矛盾がどうして激化してしまったのか。それを知るためには、資本主義が帝国主義的な傾向を強めたことを理解しないといけない。世界史教科書の232ページで確認しよう。

新産業は巨額の設備投資を必要としたので、産業資本と銀行資本が結びついた金融資本の役割が増大した。並行して、カルテル・トラスト・コンツェルンによる市場の独占も進んだ。資本主義は、自由競争の時代から、少数の巨大企業が市場を支配する独占資本主義の時代に入っていった。そして1870年代半ばになると、武力で海外市場を維持・獲得しようとする傾向が強まることになる（帝国主義）。（世界史B 232頁）

「金融資本」は銀行のお金のことね。

「資本主義は、自由競争の時代から、少数の巨大企業が市場を支配する独占資本主義の時代に入っていった。そして1870年代半ばになると、武力で海外市場を維持・獲得しようとする傾向が強まることになる（帝国主義）」という点に線を引いてほしい。

では次を読んでいこう。


自然科学界でさまざまな法則が発見されたことは、人文・社会科学にも影響を与えた。（…）

ダーウィンが『種の起源』のなかで唱えた進化論が、宗教観と社会観に大きな影響を及ぼした。

進化論を社会に流用したスペンサーは「適者生存」論（社会進化論）を唱え、その後社会的弱者や、劣等とみなされた民族・人種への迫害を正当化する論理になっていった。（世界史B 232〜3頁）

スペンサーはナチスにも強い影響を与えている。よく「適者生存」というよね。最近、「遺伝がすべて」と言いたげな本が沢山出版されている。スペンサーの社会進化論の似非科学だ。

こういったものが今でも流行する。

安価な大衆向け新聞が欧米諸国で創刊された。マスメディアの登場と同時期に、初等教育の義務化が進み識字率が向上したことで、マスコミュニケーションで画一的な世論が形成される大衆社会が生まれ始めた。（世界史B 234頁）

たとえば新聞は一日限りのベストセラーだからね。新聞を読むことで、国民は共通の意識をつくりあげていく。新聞によってナショナリズムが生まれた。

資本家にとっては、労働運動や社会主義運動を弱めて現体制を維持するためにも、ナショナリズムを刺激し、国民の関心を貧富の差などの国内問題から海外へとそらすことが重要だった。（…）

列強は、本国と植民地の連携を強め、新たに植民地を得るために、武力を行使するようになった。この現象を帝国主義といい、機関銃・電信・医療が発達し植民地征服が容易になったこともあって、欧米優位下での世界の一体化が進んだ。（世界史B 235頁）

要するに、格差が広がってくると、「外国が悪いせいで、俺たちのせいじゃない」と煽る思想が生まれる。こういったナショナリズムを「排外主義」という。機関銃の技術には文房具が生かされているんだ。なんだと思う？

生徒：シャーペン？

ホッチキスだ。「マックス」という有名なホッチキスメーカーがあるけれど、機関銃会社だからね。ホッチキスの針は、まさに機関銃の原理だ。針が出ていくと、次のヤツが押し出され、連続で使うことができる。機関銃のような兵器が出ることで、大量殺戮が可能になった。帝国主義の時代の特徴だ。

教科書で習う世界史と、ニーバーの言っていることが結びついてきたね。今は頭の中がパンパンだと思うけど、しばらくしたら発酵してやがて自分のものになっていく。ノートをよく見直してみてね。

殺戮の経験があって寛容が生まれた

はい、では第四章「デモクラシーの寛容とコミュニティの諸グループ」に入って行こう。

一八世紀のデモクラットの信念と期待とに反して、国民社会（national community）は多くの民族的、文化的、宗教的、経済的グループによって統合されているとともに、また、これらの諸グループに分裂してもいる。（…）宗教的グループのうちで、独立教会主義者（インディペンデント）とレヴェラースだけは、純粋に宗教上の寛容を信じていた。他のグループはそれぞれに勝手な発達をとげてしまったために文化統一の型の中に、再び引き戻すことは不可能となってしまったのであるが、その宗教的、文化的運動の多様性をまとめるための唯一の解決策として、彼らはついに宗教的寛容を受け入れたのであった。（本文119〜21頁）

宗教的な寛容はどうして出てきたのか。プロテスタントとカトリックが戦争をはじめたからだ。最初はお互いをやっつけようと思ったが、それが無理だったので、お互いに共存し、寛容になる道を選んだ。戦争を沢山したから寛容になったともいえる。いま、ヨーロッパの国で戦争をする可能性はほとんどない。第一次、第二次世界大戦であれだけの殺戮を行って、戦争の恐さを心の底から知っているからだ。

それに比べて、日本や韓国や中国、北朝鮮は、国がすべてぼろぼろになるような大変な戦争は起こっていない。沖縄の地上戦や朝鮮戦争を除けばね。だからアジアにはこわいところがある。戦争の恐さが骨の髄まで染みてないから。日本は、沖縄の地上戦を除いて、空襲の恐怖はあったけれども、目の前で人が撃ち殺されることは経験していない。

ヨーロッパはその経験が、「戦争はしない」と強い原動力になっているんだ。寛容が出てくる前には、深刻な殺戮があったことを覚えてほしい。

アメリカとイギリスは違うんだよということを理解するためには、アメリカの独立革命について知らないといけない。アメリカの独立がどういうものだったのか、もう一度教科書で確認しておこう。

今回みんなどう？　ふつうの世界史の授業とは、知識の入り方が違うでしょ。難しい本を読むときは、どの背景とつながっているのかを意識して読み直してみよう。それに授業では教科書を端から端まで読んだりしないけれど、声に出して読んでみると意外と頭に入ってくる。

入試の勉強のときも、読むことがコツなんだよ。わからないときは、声に出して読んでみる。つっかえて読めないときは、理解していない。最初はわからないところがわからないかもしれない。けれども読んでみればわかる。わからないところは、うまく読めないからね。はい、それを踏まえながら185ページの「アメリカの独立」を読んでみよう。

北アメリカのイギリス領植民地では、七年戦争後の植民地への課税をきっかけに、反英感情が高まった。植民地側はイギリス商品の不買運動などで抵抗した。財政難にあった東インド会社に茶の輸入の独占権を与えたことに憤慨して、積み荷の茶を投棄したボストン茶会事件も起こった。（世界史B 185頁）

この中にアメリカに行ったことのある人はいるかな？　アメリカ人はほとんど紅茶を飲まない。イギリス人は紅茶ばかり飲む。その背景には、ボストン茶会事件が大きく関係するんだ。アメリカの人たちは「イギリスの飲み物なんて誰が飲むか」と思っている。

喫茶店やカフェには行ったことがあるよね。実はコーヒーショップは民主主義には深い関係がある。コーヒーショップは最初、チョコレートハウスで、今でいうココアを出していた。植民地だったアフリカでカカオを取ってきて、それに牛乳と砂糖を入れて飲むことが17世紀に流行した。このチョコレートハウスでココアを飲むと、ココア代を払うのであれば、お金持ちでも貴族でも労働者でも、誰でもそこにいることができた。ココアを飲みながら、世の中について様々な階層の人たちが話をする。そこではじめて「公共圏」ができたんだ。このココアがコーヒーに変わった。コーヒーはアフリカとアラビアのものだ。

イギリスはインドを植民地にしてインドの紅茶を売るようになった。紅茶を飲みながら様々な議論をして、その場所で新聞が生まれる。この紅茶の文化は、新大陸であるアメリカにも入ってきた。しかし、お茶に重い税金を課されたので、ボストンに泊まっていたイギリスの貨物船を襲う。一連の運動の中で、紅茶の不買運動をする人も多かった。今、イギリスとアメリカの関係性は良好だけれども、もともとは非常に仲が悪かったんだよ。

13植民地の本国政府への不満は、ついに独立戦争を引き起こし、アメリカ合衆国が成立した。(…)

アメリカの独立後には、フランス革命やラテンアメリカ諸国の独立、ドイツの革命が続いた。(…)大西洋を取り巻く地域の一連の諸革命や、一つの大きなできごととしてとらえられ、環大西洋革命と呼ばれている。(世界史B 186頁)

アメリカ独立はフランス革命と並ぶ、世界の大きな構造変化に関係しているんだ。

日本はなぜ戦争をはじめたのか

それではテキストに戻ろう。

ナチズムのより深い意義は、コミュニティの中に原始的な統一を再建しようとした事にある。ナチズムはこれを非常な首尾一貫性をもって実行した。何故ならナチズムは民族の部族的統一を求め、部族的宗教の基礎に立った文化的統一を追求し、あらゆる経済的自由を抑圧するに足るだけの強力な全能の国家を創り出すことによって、経済的統一を追求しようとしたからである。自由のはらむ危険性は非常に大きなものであるが故に、あるコミュニティが、ナチズムの方法でそういう危険を避けようと試みることを実際に余儀なくさせるほど、このナチの努力は深遠な意味を持つものである。（本文123頁）

格差が拡大するときに、「そんなの良くないから、みんな平等にします」と言っても、金持ちが言うことを聞くはずがない。国が脅し上げて、刑務所に入れて捕まえ、その財産を取り上げ、再分配したらいい。ナチズムはそんなやり方をした。儲かっている会社から利益を取り上げ、再分配するのはファシズムに典型的な発想だ。

日本でも「企業には内部留保が沢山あるから、それを吐き出させて賃金あげろ」という議論がされているけれど、すごく恐い考え方だ。労働者はストライキをする権利がある。国が関与するのではなく、会社の中で労働者と経営者が相談して決めればいい。国がその間に入っていくのは、ものすごく恐いことなんだ。

でも金持ちから取り上げて、分配をすると、貧しい人たちの生活水準は上がるよね。ナチスはそれを実行した。観光旅行はナチスが始めたものだ。それまでは金持ちしか観光旅行が出来なかったけれど、労働者をバスや電車に乗せて、みんなであっちこっち観光した。スポーツもナチスがはじめた。高速道路もナチスがつくった。国民みんなが買えるようにつくった車がフォルクスワーゲンだ。確かに、生活は向上したかもしれない。でもその背景には、ユダヤ人に対する大弾圧や、ポーランドやウクライナ人の人たちの殺戮や収奪があった。だからドイツは世界中から憎まれ、徹底的につぶされた。

でも、その根っこにあるのは、普通の国民の生活をどうよくするのか？という経済の問題だ。

闇の子らは、生命力の特殊的な表現をもつ他のすべてに対して、自らの国民社会（national community）の虚偽なる普遍的表現をもって対抗させたのであるが、真正の普遍主義は、生存の豊富さと多様性とを破壊することなしに、調和をうちたてようとするものでなくてはならない。デモクラシー文明にとって最大の問題の一つは、コミュニティ全体の豊かさと調和とが増進されこそすれ、破壊されないような方法で、コミュニティに存在するいろいろの従属的、民族的、宗教的、経済的グループの生活を、全く統合してゆくにはどうすればよいかということである。（本文１２４頁）

日本はドイツとイタリアと組んでしまったよね。なんでそんなことをしてしまったんだろう。世界史の教科書で確認してみよう。１９３９年の枢軸国はドイツ、イタリア、アルバニアだったんだけど、41年に参加しているのは？

生徒：フィンランド、スロバキア、ハンガリー、ブルガリア。

チェコスロバキアという国があるんだけれども、１９３９年にチェコが占領されてしまったわけだよね。スロバキアは形だけは独立したが、事実上はドイツの衛星国だった。そのあと戦争がはじまって、占領している領域はどこだろう。ヨーロッパのほとんどだよね。中立国は？

生徒：スウェーデン。

スウェーデンはどちらかというと、ドイツに好意的な中立だった。スペインの独裁者・フランコはヒトラーの友達だった。ポルトガル大統領であるサラザールも、ヒトラーの友達。あとアイルランドもイギリスがきらいだから、ドイツに好意的だったの。じゃあヨーロッパ全体を見たら、連合国に好意的なのはスイスだけだった。この状況を見て、どっちについたほうがお得だと思う？

生徒：ドイツ。

そう。それで日本はドイツの側についちゃった。「バスに乗り遅れるな」と言ってね。でも結果はどうなった。どうしてそんな判断ミスをしてしまったのか。日本はアメリカの底力を分かっていなかった。アメリカがもし本気になって戦争に参加したら、ドイツを蹴散らすだけの経済力、軍事力があることを日本はよく分かっていなかった。だから日本はアメリカを攻撃して、開戦の引き金をひいてしまった。

――1940年7月、日本は武力による南進を決定し、日独伊三国同盟、日ソ中立条約を結び、フランス領インドシナ全域に軍事進駐した。
1941年12月8日、日本軍は英領マレーに上陸、ハワイの真珠湾にも奇襲攻撃をかけて、太平洋戦争がはじまった。（世界史B　283頁）

日本はなぜ戦争を始めたのか。当時、インドシナ半島、ビルマ、オランダ領の今のインドネシアは、すべてヨーロッパの植民地だった。ドイツが勝ったら、植民地の宗主国が無くなり、植民地は誰の物でもなくなる。ならば日本がいただきましょうと。だからドイツが勝つことを前提にして、植民地に軍事進駐をした。特にほしかったのがインドネシアだ。なぜだと思う？

生徒：ゴムがある？

そう。でも日本が一番欲しかったのは石油なんだよね。生産量をみると、日本が270万バレルしかないのに、アメリカは桁違いにあるでしょう。こんなので戦争に勝てるわけないじゃない。でも南側の資源を持てるなら勝てると思った。こういう大きな誤算をしちゃったんだよね。

――「大東亜共栄圏」の建設をうたう日本は、各国のナショナリストに、行政組織や軍隊をつくらせた。しかし、日本語や神道などの日本文化の押し付け、日本軍の粗暴な行動、労働者の徴発などが、支配下の人々に大きな傷あとを残した。（世界史B 284頁）

イギリスは、自分たちが悪いことをしていると思っていながら植民地政策をしていた。だから歯止めがきくんだ。しかし日本は、植民地にしているとすら思っていなかった。欧米の白人国家にアジアの国が植民地にされているので、植民地から逃れた日本がアジア諸国を解放しようと考えていた。ところが日本は弱い。だから地域、期間限定で植民地政策をおこなうことで、強くなり、他のアジア諸国を解放しようと考えてきた。「日本がやっているのは、植民地支配ではなく手術なんだ、みんなが解放されるための一時的な手術だから我慢しろ」というのが日本の主張だった。つまり、自分たちが悪いことをしていると思っていないので、歯止めがきかない。だから日本はいまだに元植民地だった韓国から恨まれている。

このことは原罪説と深い関係にある。イギリス人やアメリカ人には、心の底に原罪の考え方があるので、自分がよいことをやっているつもりでも、実は悪いことかもしれないと。人間は罪から逃れられないものだと思っているからね。だから反省できる。

一方で日本の歴史について考えるとき、我々の言い分はたくさんあるかもしれないけれど、実際にやっていたことは決して褒められるようなことではない。この教科書はフェアだよね。

「日本国民の労働力不足を補うために、朝鮮や中国から労働者を強制的に連行した」ことが書いてある。「日本による徴兵、労働力の徴発などの被害者によって1990年代には裁判が起こされるようになった。(…)日本政府は、戦後賠償・補償について国家間の条約等により法的に解決済みとしている」と、日本政府の公式見解を書く一方、事実も書いて、高校生たちは知っておいてねと伝えている。もう少し読んでいこう。

ミッドウェー海戦と、ガダルカナル島攻防戦が転換点となり、日本軍はしだいに後退した。(…)1945年に入るとフィリピン・ビルマが奪回され、6月には沖縄が、住民をまきぞえにした壮絶な地上戦の末にアメリカ軍に占領された(沖縄戦)。(世界史B 284頁)

こういう流れになったわけだね。それでは、テキストに戻ろう。

人間は悪に傾きやすい存在

それでは次の人、145ページから読んでいこう。

近代産業社会の諸階級は、昔の農業社会秩序の階級よりも、より複雑で、ダイナミックである。いろいろの階級の利益は、マルキシズムが仮定するように、そう徹底的に対立するものでもなく、また、それらの階級はマルキシズムが信じるほどたやすく二つの対立階級に分解することも出来ない。産業社会における農業グループは、資本家でもなければ、プロレタリアートでもない。その農業グループに、これら二つの階級的立場のどちらかを無理に選ばせることは、無駄であり、また、危険である。中産階級はさらに数限りもなく多くの種類に分かれている。（本文145頁）

つまり二大政党制は、労働者と資本家とがはっきりと分かれている国において成り立つ。日本のように曖昧であると、二大政党制では利益が代表できない。日本で小選挙区制をつくると、結局は一党が強くなってしまう。要は今の自民党が圧倒的に強くなるわけだね。パートって英語でどういう意味？

生徒：部分。

「パーティ」は部分の代表である必要がある。部分の代表が国会に集まり、議論をし、妥協をし、法律をつくり、限られた予算を分ける。ところが、今はどの政党も「国民の代表」だと言っているよね。「国民みんなを代表しています」とね。それは政党じゃない。政党は「部分」の代表だからだ。しかし日本では、本当の金持ちはそんなにいない。日本人は９割近い人が中産階級でまあまあの生活だと思っている。こういう場所では階級闘争は起きないんだ。

でも本当に９割がまあまあの生活を送っているのだろうか。例えばこの前、早稲田大学の学生と話す機会があった。４人いた学生の中で３人は、卒業時点で３６０万円の奨学金、つまり借金を背負っていた。みんな大学の先生になりたいから、これから大学院に進学すると言う。大学院に行くのはものすごくお金がかかるし、どんなに優秀でも30歳までは就職できない。勉強が好きなだけではなれない仕事になりつつある。機会は本当に平等なのか。

君たちが大学進学をするときにも、奨学金の話が出てくると思う。もしお父さんとお母さんに出してもらえる余裕があるのであれば、ちゃんと借用証書を書いて、お父さんとお母さんから借金した方がいい。奨学金はなるべく借りちゃだめ。返済が滞ったら取り立てに苦しむ。クレジットカードも使えなくなり、車や家もローンで買えなくなる。

例えば、奨学金で一番有名な「日本学生支援機構」で借りた場合、1か月で最大12万円借りることができる。4年間通って600万、利子も含めると800万円近く借金を背負ってしまう。人生のスタートでそんな額の借金を背負うのはすごく大変だ。そんな額の借金を背負うくらいだったら、地元の国立大学に行った方がいいと僕は思う。借金はすごく重要な問題だ。奨学金に頼らずとも、お金を稼ぐために、アルバイトで勉強ができない状態になるのは避けないといけない。偏差値だけを基準にして物事を決めて、無理をして学業がうまくいっていない人を、僕は何人も見ている。

もし君たちの学力が、九州大学に行けるくらいだったとしよう。埼玉から九州大学へは通えないので、下宿して、奨学金をもらうか、親から仕送りをしてもらうことになる。もし家に余裕がないのであれば、偏差値だけで選ぶのではなく、家から通える大学に行ったほうがいいと思う。

経済状態を考えずに「偏差値が高いから」と言って決めると、結局大学に入ってからアルバイトに追われて勉強できなくなっちゃうから。自分の家庭的な環境において、経済的な余裕がないというのは、お父さんお母さんだって一生懸命仕事しているんだから、お父さんお母さんのせいじゃない。ましてやあなたたちのせいでもない。そういうのを「与件」という。

与えられた条件のことだ。この与件の中で、一番勉強できるチャンスを見つけていくということが、すごく重要だと思うよ。

例えば埼玉大学で一生懸命勉強して、弁護士になる司法試験に合格するとか、国家公務員試験に合格して外務省や財務省に入ることもできる。

外務省の外交官試験に合格すると、そのあと2年間大学に入学できる。そのためにかかるお金は3000万円から5000万円くらいかかるけれども、それは国が出してくれる。なぜなら、外交官を養成するにはそれくらいお金がかかるから。それは成績だけ良ければどの大学でも入れるから。実際に埼玉大学から入っている人もいるからね。

では、次のところを読んでいこう。

デモクラシーのコミュニティを脅かすところの内乱が、表面上、普遍的な社会的理想の中に内包されている、特殊的利益の腐敗を認識することのできなかったところの、愚かな光の子らの二つの学派によって生み出されて来たという事実は悲劇的である。ブルジョア的自由主義は、全般的にいって、自らの階級的利益の腐敗については全く気がつかず、自らの展望が究極的なものだと愚かにも考えていたのである。（本文148頁）

いわゆる民主主義者、共産主義者じゃないブルジョワな人たちは、自分たちはお金がある程度あって、人に迷惑をかけない生活をしていると思っている。けれども、構造的には労働者を搾取していて、そのことで自分の豊かな生活ができていることを分かっていない。自分は「働き者」だから豊かになって、労働者は「怠けものだから」「能力が低いから」貧乏だと思っている。これはおかしいとニーバーは指摘しているんだ。

マルクス主義者や共産主義者たちは、自分たちが絶対に正しいと思っている。自分たちが権力を持ちさえすれば、みんなが幸せになるのだと。でも、自分たちが権力を濫用して、悪事を働く可能性には気がついていない。その結果、収容所のような国になっていく。

ここでも「原罪」の考え方が重要だ。人間は悪に傾きやすい傾向をもっていることに無自覚だと、善意でまずい構造を作りかねないんだ。

> デモクラシーにとって最も大きな危険のあるものは、道徳的理想主義者たちが公言する理想の中に自己本位の腐敗が含まれていることを自ら意識しないところの彼ら自身の狂信から起こるものである。（…）デモクラシーの内的危険は、諸々の異なった理想を公言するが、自らの理想こそは完全だという共通の信念を示すところの理想主義者たちの諸々の学派や階級の闘争の中にひそんでいるのである。（本文１５０〜１頁）

なぜそういった腐敗が起きてしまうのだろう？　本来持っていたキリスト教的な価値観が失われたために「原罪」の意識がなくなり、悪に対して鈍感になってしまった。原罪の意識を失っているのは、民主主義者も共産主義者も同じだ。人間の中には罪があることを見直さないといけない。そうじゃないと反省できないからだ。

ナチズムも怖いが、民主主義やデモクラシーを信じ「自分のことは絶対に正しい」と思っている人も怖い。「自分は悪いことをしているかもしれない」と反省ができなくなってしまう。自分で主観的に反省することは難しいので、自分には罪があるという考えに立ち返らないといけない。

第4講

未来を見通す力をつける

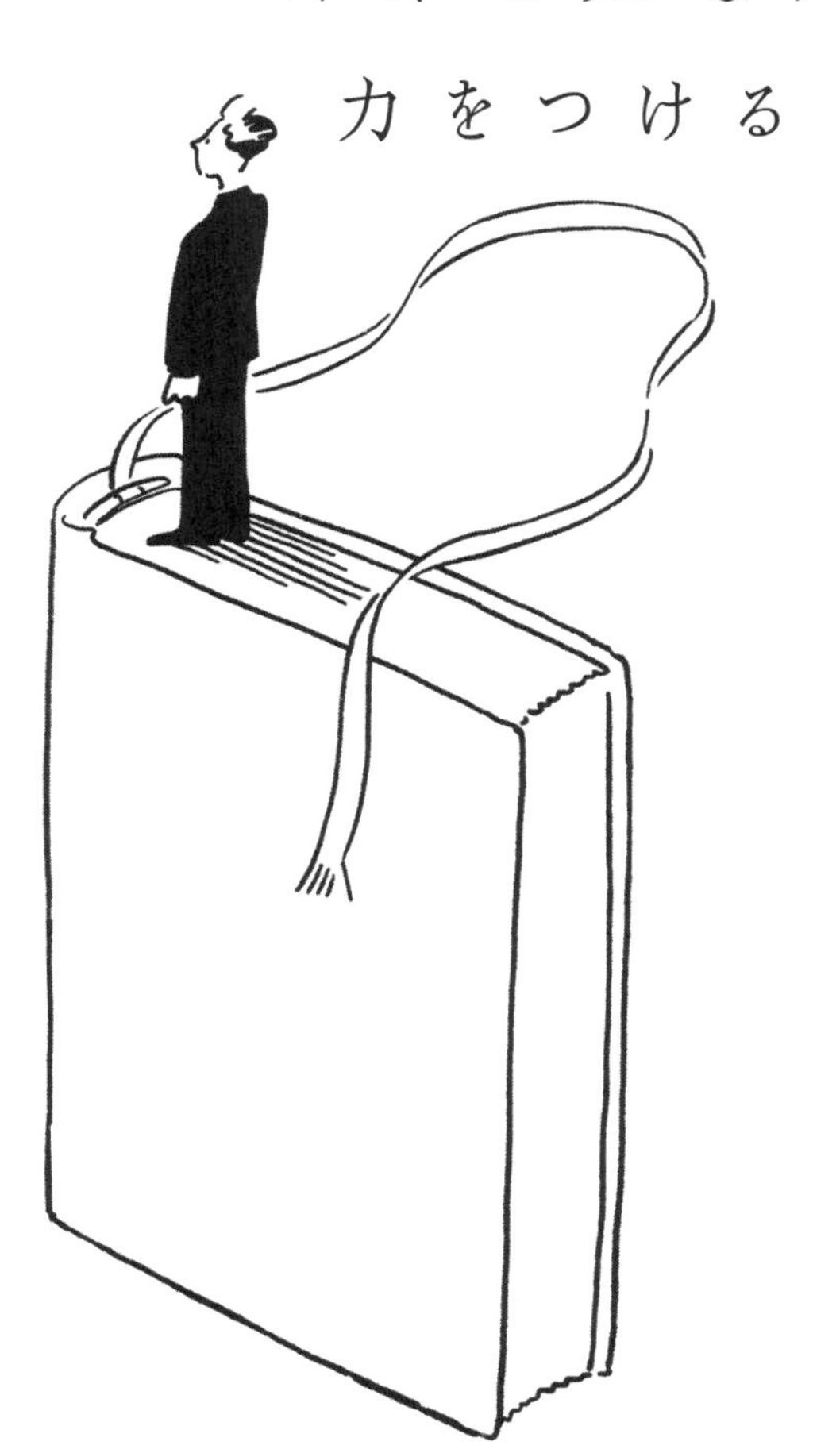

「若者たちはどこに向かっているか」

プリントを回すから1枚ずつ取って。今日は「若者たちはどこに向かっているか」（「潮」2019年5月号）という対談記事を読んでいこう。中央大学の山田昌弘さんと、博報堂にいた原田曜平さんは、若者論の専門家だ。この二人が、今の若者はどうなっているのか。平成時代に若者たちはどう変わったのか、面白い対談をしているので読んでいこう。

原田　「パラサイト・シングル」や「婚活」など、山田さんが発案されてきた言葉は、平成という時代を象徴しているように感じています。今日は、僕の研究対象でもある若者たちのライフスタイルが、平成のあいだにどう変化してきたのかについて語り合えればと思っています。

山田　よろしくお願いします。

「パラサイト・シングル」とはなんだろう。「パラサイト」は寄生、「シングル」は独身という意味だ。学校を卒業しても、自分で自活せずに、実家に住み続ける。そうしたらどんなメリットがある？

生徒：お金がかからない？

そう。ほかにも家事をしなくていい。生活が楽なので、そのまま50歳になってしまう人がけっこういる。その現象を「パラサイト・シングル」と言う。あと「婚活」ってなに。

生徒：結婚相手を探すこと。

昔はお見合いのように親が決めてくれたけれど、今は自分で恋愛をしなければいけない。だから自分で探す活動をする人が増えているんだ。

「就活」は、就職に向けて活動することだけど、その次に広まったのが「婚活」だ。では「バブル経済」ってなにかわかる？

生徒：お金が沢山あること。

そう。お金がたくさんあることだ。不動産投資や株式投資によって経済がものすごく拡張した。「バブル経済」というときは、１９８５年から95年までの10年間を指す。正確に言うと90年代に崩壊しているんだけどね。

例えば、東京の六本木で飲んでいても、タクシーが捕まらない。そんなときは、２万円札を振りながらタクシーを捕まえていた。そんなことが普通にあった時代だ。高校生でも月に

10万円の小遣いを使うことが平気な時代だった。

ちなみに私はバブルを経験していない。そのころソ連にいたからね。石鹸がないからあっちこっち探しに行ったり、砂糖を配給券で買ったりするような耐乏生活だった。

バブルによって、みんなが「中流」になれたけれど、今は次第に格差が生まれてきている。

原田　僕自身は団塊ジュニアの少し下の世代で、大卒の内定率が最も低かった二〇〇一（平成十三）年に新入社員として働き始めました。その意味では、バブル崩壊という平成初期の大きな変化の影響をもろに受けた世代と言えます。

団塊世代は、何年ごろに生まれた人かな？　ヒントは前の戦争だ。戦争の間はなかなか子どもができない。戦争が終わって平和になると、戦地からお父さんたちが帰ってくる。そうすると子どもが生まれるよね。だから１９４７〜１９４８年に生まれた子どもたちの数が多いんだ。

その団塊の世代が大人になって子どもを産むのがその25年〜30年後。１９７０年代半ばに生まれた子どもたちは「団塊ジュニア」と呼ばれ、これも数が多い。理論的には、この団塊ジュニアが25〜35歳くらいに子どもを産んで、同じように人口が多くなるはずでしょ。でも彼らの子どもはほとんどいない。それが少子高齢化が起きている最大の原因だ。

山田　以前行った内閣府の調査で、あることがわかりました。それは、NPO法人を立ち上げたり、起業したりする若者には、圧倒的に帰国子女や海外生活経験者が多いということです。この結果は、日本国内だけで過ごしてきた若者たちが、いかに就職で手一杯になっているかということを表しているように思います。

山田さんは「就職で手一杯」と言っているけれども、同じように受験でも手一杯だ。受験にこれくらいエネルギーを使う必要がある国は、日本と韓国だけだ。それくらい余裕がない。型にはめられ、覚えるべきことがたくさんある。進学も一斉に行う。

一方でアメリカは社会に出てから大学に入る人がたくさんいる。NPOを立ち上げたり、起業をするのは帰国子女や海外留学経験者が多いと指摘しているが、それは「就職で手一杯」であるのと同時に、そもそも帰国子女や留学にいける学生の親はお金を持っている。

SNSは同質の者だけでつながるツール

原田　僕は階層化のひとつの要因として、SNSの普及があるんじゃないかと思っています。本来、国や文化や年齢、階層を超えてあらゆる人と繋がることが出来るツールではあるはずなのに、結局は似た者同士が結びついて、かえって閉じてしまっているんじゃないかと……。

山田　確かに、SNSは異質なものと付き合わずに、同質なものとだけ付き合っていられるツールになってしまっていますね。(…)

いまは、原田さんが提唱された「マイルドヤンキー」のように比較的上昇志向が弱く、ずっと地元に留まる若者もいれば、外資系企業への就職や企業を目指す若者もいる。(…)本当に一言で括れない時代になりました。

いまSNSで誰とでもつながれる時代になったと言われている。でもSNSでつながれるのは、だいたい同じような感じの人たちだ。異質な人たちは自分たちのネットワークに入れない。ＳＮＳは同質なものだけで、付き合うツールになっている。

ところで「マイルドヤンキー」ってなんだろう。ヤンキーという言葉は、私が若いときにはなかった。関西限定の言葉で、関西では不良のことを「ヤンキー」という。本格的な不良ではなく、ちょっと不良っぽいのが「マイルドヤンキー」だ。マイルドヤンキー達は、大学進学を考えない。地元にとどまり、比較的結婚が早い。そして子どもをつくる。あまり収入は高くない。

外資系企業や、国際的に活躍する人がいる一方で、地元にとどまる人がいる。車を持っていない人もいれば、ものすごく凝る人もいる。全体的な傾向として恋愛は減っているけれども、非常に恋愛に熱中する人たちもいる。その人たちが分断されているのではないかと、この対談では言っているね。

原田　いまの若者たちは、たとえばインスタグラム（写真投稿型のＳＮＳ）を見たときに、自分の〝人間的な偏差値〟を意識するようです。
異性に好意を抱いても、その彼なり彼女なりが自分よりもイケてる異性たちとの写真をインスタに投稿しているのを目にすると、「自分とは釣り合わない」と、当たって砕ける前に砕けちゃう（笑）。そして、結果的に何となく自分と近い人と結びつくという……。


この中でインスタグラムをやっている人はいる？　けっこういるね。

例えば、自分の好きな女の子がいたとして、その人が別のかっこいい男子といる写真がインスタに上がっていたら、「諦めよう」と思ってしまう。当たって砕ける前に、砕けてしまうわけだ。

ここで「人間的な偏差値」という言葉が出てくる。すごく嫌な言葉だ。偏差値で出るのは、学力のごく一部だけだ。記憶力と、情報処理能力だけ。でもそれが人間の能力とイコールになっていて、将来の自分のパートナー選びや、就職のところでも偏差値を基準にして諦めてしまう。あるいは自分より下の偏差値の人たちをバカにする。関心を持たない。そんな異常な状況に日本社会はなってきている。だから偏差値にとらわれないようにすることは非常に重要だ。

皆さんは成績がいいから、偏差値を上げることができるかも知れない。でも様々な事情によって、勉強ができない環境に置かれている人たちもいる。

例えば私がときどき会っている、自立支援ホームの若者たちだ。16歳以上で、全日制の高校に通っていない児童養護施設の子どもたちは、施設から出なければいけない。行き場所がないので、自立支援ホームにいく。実親からの厳しい暴力によって保護された人、生まれるとともに施設に預けられた人、親がシリアから逃げてきた人などがいる。中学生のころから年齢を偽り作業現場で働いて、父親にお金を奪われて殴られた子もいる。彼らのほとんどは中卒だ。その子たちは頭の出来が悪いわけではない。勉強をする環境にいられなかった。

関東にある女子少年院にも行って話を聞いたことがある。14歳から20歳までの女性で、犯罪傾向が進んでいない人、窃盗や覚せい剤、売春といったことで捕まっている人たちがいる。署長や教官たちに話を聞くと、16人が高校卒業程度認定試験を取って、その中の2人は全科目取っているようだ。施設の中にいる間はしっかりと教育を受けられても、出ていってしまうと帰る場所がない。仕方がないから、もともと付き合っていた暴力団の男のところに行き、そいつは覚せい剤を売って売春もさせる。そんな環境に居ざるを得ない中学生や高校生もいる。

女性の自立支援ホームでは、実のお父さんに性的虐待を受けて、何度も妊娠して堕胎する経験を持っている子もいる。その施設には男性は一切入れない。男性を見ると身体が凍り付く人も多い。教育以前の話だよね。でもそこにいる人たちは、知力が低かったり、性格が悪かったりするわけではない。環境に要因がある。でもそれは、子どもの責任ではないよね。

皆さんと同じような世代でも、そのような生活をして、社会から置いていかれそうになった人が沢山いる。一方では、親がお金を持っていて、十分な教育を受けることができ、「自分たちの先輩の活躍を見に行こう」と言って、ボストンに集合できるような人たちもいる。アメリカに行く費用や、ホテル代を心配しなくていい。そんな家庭の子どもたちもいる。教育の機会は平等だとは決して言えない。

家庭的なバックグラウンドが異なっていても、勉強に励めば社会的に上昇できるのが、公立高校の仕組みだ。私もそうやって外交官になったひとりだ。埼玉県は公立高校での教育を非常に重視している地域のひとつでもある。特に川口北高校は「リベラルアーツ」を重視して、社会に出てから本当に活躍できて、格差に目を向けられる心優しい人を作っていこうとしている。

「人間的偏差値」など存在しない

山田　極めて優秀な学生以外は、さっき原田さんがおっしゃった自分自身の、〝人間的な偏差値〟を意識して、端から大手企業を諦めてしまっているのが現状です。

原田　恋愛にせよ就職にせよ、かつてはいまほど情報がなかった分、皆が向こう見ずに、〝高嶺の花〟を狙っていたのが、段々とそれを諦めてしまうようになったのがこの三〇年間の変化と言えるかもしれませんね。

実にばかばかしい。「人間的偏差値」なんて存在しないよ。

それに学問的な偏差値は、きちんと勉強すれば上がるからね。でも問題は諦めてしまうことにある。みんなも中学生まではクラスでも上位だったのに、高校では学年で下の方になってしまって、「もういいよ」と諦めてしまう。志望校にしても、過去の進学実績を見て、「旧帝大は無理なのかな」と諦めてしまう。

でも2年間の時間があって、正しい勉強法を知れば大丈夫。今日説いた問題は、東大の授業で出されるレベルと同じだからね。ただ東大でやるときには、参照を一切不可にしているけれどね。でも東大生と同じ問題に取り組んで、高い平均点数を取れているわけだ。皆さんの根っこには力がある。それを過小評価しないのは極めて重要だ。もちろん、過大評価するのは危険だよ。「私の実力では、どんな大学でも半年で入れる」と思ってはいけない。でも過小評価をするのはもっと危険だ。謙虚なように見えるけれども、人前で恥をかきたくないとか、そうした心理が先行している場合もある。どんどん自分の可能性が縮んでいくからね。

可能性には常に挑んでいこう。自分の持っている力の、さらに2割を伸ばすことができる。2割を伸ばせば、また2割を伸ばすことが出来るから。最大の問題は、みんなが諦めてしまうような社会的な風潮が出来てしまっていること。

私だって、いわゆる「難関大学」に入学したわけではなかった。それでも同志社大学神学部に入ってからの教育が良かったから、東大生だって落ちる人がたくさんいる外交官試験に受かって、外交官になった。そのあと、私はある事件に巻き込まれて捕まり、檻の中に入っていたけど、なんとか蘇った。今まで東京地検特捜部に捕まった人で、社会的に蘇った人はいなかった。蘇ったのは私が第一号だ。そのあとに鈴木宗男さんや堀江貴文さんがいるけれどもね。どうしてか。簡単な話だ、私が諦めなかったからだ。

山田　アイデンティティーの欠如は多かれ少なかれ承認欲求につながりがちです。その欲求を満たすものこそ、ＳＮＳなどのバーチャルな世界だと思うのです。平成は、良くも悪くも人々の結びつきがバーチャル化した時代だったと私は認識しています。

原田　インスタの「いいね」などは、まさに、〝プチ承認欲求〟が満たされるような感じなんでしょうね。

バーチャルな世界が、友だち同士で互いに安心して生きるための居場所になりつつあるような気もします。


アイデンティティは「自己同一性」のことだ。自分はどういう人間なのか、自分の生き方は一貫しているのか。これがアイデンティティだ。

「自分にとってはこれが大切だ」「自分はこれがやりたい」「自分はこういう人間になりたい」というアイデンティティがあれば、人からどう評価されるのかは気にならない。でもアイデンティティを確立していないと、SNSの投稿に「いいね！」がたくさんつかないと不安になってくる。そうしたら極力「いいね！」をもらえるように、盛った画像や内容を載せるようになる。「いいね！」を押してもらえる自分に価値があるのだと証明したくなる。これが「承認欲求」で、振り回されてフラフラになる危険性もある。

学校の成績や偏差値も、承認欲求と結びつけてしまってはダメだ。偏差値は、今自分がどのくらいの学力なのか、相対的に知るためのものだ。自分が伸びているのか、時系列で知ることの方が重要だからね。

自分が好きなものや、やりたいことがないと、居場所がなくなってしまう。今の自分は「仮の姿」で、まだ本気を出していないのだと、自分をごまかす生き方に繋がりかねない。

原田　いまの若い女性たちのなかには、専業主婦になりたいと思っている人がすごく増えているんです。ただ、いまの学生たちの親世代の大半が五十歳前後だとすると、その家庭の母親たちはいわば最後の専業主婦・パート主婦世代と言えます。そう考えると、いまの学生よりもさらに下の世代になれば、家族像が変化する可能性はあると僕は考えています。

山田　家族像は変わっていないものの、やはり、それを実現できる人とできない人に分かれてしまったというのが、私の「家族」に対する見立てですね。

おそらく今の経済状態を考えると、君たちが社会に出て家庭を持つころには、専業主婦のような形で、夫の収入だけで生活をしている人は、ごく一握りになるだろう。男性も女性も、みんな働かざるを得ない状況になる。

原田　世界の若者に選んでもらえる社会を目指すためには、まずは自国の若者をフィーチャーする（際立たせる）社会を目指すべきです。

山田　グローバル化によって社会がオープンになれば、出ていく人も入ってくる人も増えます。文化が混ざり合い、多様化して、発展していくというのがこれからの姿なんでしょうね。

原田さんも山田さんも、グローバリゼーションの中に活路を見出しているね。そんなに上手くいくかどうか、私としては懐疑的に考えている。

預言、黙示、世界共同体

さて、ニーバーのテキストに戻ろう。

世界共同体（world community）の問題を取り扱う上に、特に火急の問題は、一つは非常に古く、一つは非常に新しい、普遍性（ユニヴァーサリティ）の二つの力の複合によってひきおこされたものである。国家的特殊性の諸力を基礎とし、また、それによって制約されているところの共同体秩序（communal order）が、今や有史以来の二重の挑戦を受けている。国家主義的特殊主義に挑む普遍性の古い力は、歴史的共同体の地理的、あるいは、その他の制約を超越するところの普遍的な道徳的責任感である。普遍性の新しい力は、技術文明がもたらしたものであって、国家間の全世界的相互依存である。（…）
普遍的にして、無限定的な道徳的義務の最初の宗教的理解は預言者的一神教によって成しとげられたのであるが、その嚆矢は預言者アモスの全世界的歴史の概念に見られるものであり、そこでは、イスラエルの神は主権者として全世界的歴史を統轄するのであるが、イスラエルの歴史は世界歴史の中心でもなければ、目的とも見なされていない。（本文154～5頁）

「予言」と「預言」はどう違うだろう。同じ？　簡単に書いているだけ？

生徒：「予言」は予測みたいな感じ。

そうだね。未来に起きることを言葉にする。「預言」はどうかな？　「預」はどんな時に使うかな。

生徒：預金。

預かるってことだよね。

「預言」は、ユダヤ教、キリスト教、イスラム教で非常に重要な概念だ。神様の言葉を預かっている人の言葉を「預言」という。その中には、「未来にこんなことがある」という「予言」

が含まれる場合もある。だから大人でも混同して書く人が沢山いる。

預言者の仕事は、神様の言葉によって、この世の現実を批判することだ。だから今では評論家や批評家のような感じで、今の世の中を批判する人が預言者だといえる。その中には未来予測も含まれるよね。「予言」と「預言」の違いは、超難関大の現代文の授業では出る可能性がある。

キリスト教的普遍主義は、キリストに在っては、「ユダヤ人もギリシヤ人もなく」（ガラテヤ人への手紙三・二八）という世界を主張するところの、この黙示運動の雰囲気の中に生まれたのである。西洋文化においては、ストア的普遍主義が、預言者的一神教に起源を持つ普遍的宗教に付加され、また、それに吸収された。プラトンやアリストテレスの哲学でさえも、ギリシアの地方的な性格に強く染まっていたとはいえ、普遍主義的含意を内包しており、それは西洋文化の新しい普遍主義に貢献するところとなったのである。

（本文156頁）

ここに「黙示」という言葉が出てくる。「黙示」を英語で探してみよう。

"Christian universalism was born in the atmosphere of this apocalyptic movement"（原書156頁）
（キリスト普遍主義はこの黙示運動の雰囲気の中に生まれた）

とあるね。この"apocalyptic movement"というのが「黙示運動」に該当する。これはわざわざギリシア語で書いてある。

英語で「黙示」は通常"revelation"で、「啓示」とも訳される。違いはなにか。「啓示」は、神様の声が突然外側から聞こえてくる現象だ。声ではなく、幻の中で見る場合には「黙示」と訳す。

「啓示運動」と訳すときには、"apocalyptic"とギリシア語を使う場合があるけれども、これも超難関大学で出てくる単語だ。

ものごとのこうした状態があまりに長くつづいたが故に、それが歴史の不変の事実でもあるかのように思われた。このような状態は、人間が自然の限界を超えて普遍的な共同体（コミュニティ）を心に思い浮かべる自由は持っているかもしれないが、それを創り出すに足るだけの自由は持っていないということを立証するかのように思われた。共同体が達成してゆく最後の限界というようなものはないが、ただ、全人類を包含出来るような共同体を具体的に実現するというようなことは不可能だと考えられていたのである。（本文159頁）

なぜ、全人類を包含するような共同体は出来ないと思う？

生徒：多様性があるから？

その多様性の根本にあるのは言語だよね。言語はいくつもに分かれていて、単一言語によって世界は包含されない。言語は文化そのものだからだ。

例えば、君に恋人がいたとして、よくメールでやり取りをしていたとしよう。恋人がおかしくなったと気づくのは、文体が変わった時。今まで使っていなかったような言葉を恋人が使うようになれば、誰か他の人の影響を受けているかもしれない。文体が変わるときは、思想が変わり、生活が変わることでもある。同じ日本語を使っていても、人に様々な顔の特徴があるように、一人ひとりに文体がある。文体はその人の思想そのものだ。文体が変化すると、ものの考え方も変わっている。

私が大学で教えている学生で、情報工学系から神学部に来ている人がいるのだけれども、「テキストマイニング」という方法で、本に書いてあることを全てデータ化して、言葉と言葉の使い方を、コンピューターで分析している。言葉の変化に、思想の変化があらわれるからだ。世界の言語が一つにならない限り、世界の共同体は出来ないと思う。日本語で教育を受けることが重要なのは、日本の文化と強く結びついているからだ。

「国連」とは戦勝国のこと

道徳的普遍性と技術的普遍性という普遍性の二つの力の複合は、光の子らが実際上、不可避的に出来上がってゆくものだと見なすところの世界共同体建設の方向への力強い推進力を生み出すものである。いつものように、光の子らは歴史に含まれた特殊的力の強さを軽く見積りすぎる。国家間の闘争が地球的範囲にまで拡大して来たことによって、可能性としての世界共同体が、歴史にその必要性を告げて来たことは重要である。一代に二度も起こった世界戦争は、人間の意志の頑固さに対して、歴史の論理の力は、光の子らが仮定するよりも、遥かに小さいことを立証するものである。(本文159頁)

世界共同体は第一次世界大戦において国際連盟の形であらわれた。国際連盟は結局、第二次世界大戦を阻止することが出来なかった。第二次世界大戦後にできたのはなに？

生徒：国際連合。

国際連合は英語でなんという？　調べてみて。これは戦後の日本の謎に迫るすごく重要な部分だ。

生徒：“United Nations”

そう。じゃあ、今度はUnited Nationsの日本語の意味を調べてみよう。

生徒：「国連」。

それ以外にはない？

生徒：「連合国」。

そう。連合国だ。日本やドイツと対立して戦争を行った、アメリカ、イギリス、ソ連のことだよね。つまり国連は、連合国なんだ。われわれが戦争した「連合国」と、今ある「国連」は一緒だ。

国連憲章には、「敵国条項」というものがある。国連ができたのは、1945年4月なので、その時に敵だった国にはなにをしてもかまわないと書いていて、日本はその対象になっている。

戦後、日本の外務省は、国民が英語をよくわからないから「国際連合」とわざと訳したんだよ。「連合国」だと、自分たちが負けた国々のことだとわかってしまうからだ。中国では「連合国」と言われている。

世界で「国際連合」と言うと、「連合国」のことであり、第二次世界大戦の勝ち組で、その連合国に日本は頭を下げて入れてもらったわけだ。1955年にね。だから英語をちゃんと読み、自分の頭で考える重要性がある。

国際連合の一番のポイントは安全保障理事会があって、アメリカ、イギリス、フランス、ロシア、中国の五か国が入っている。この五か国には「拒否権」がある。私は拒否するという意味をラテン語で、"veto"と言う。これは難関大学の入試で出るよ。そのまま「拒否権」という意味だ。拒否権を行使すると、多数決で賛成が決まっていても、進めることができない。拒否権があるので、五つの大国の意向に反することを国連は決められない。ということは、この五つの国が国連では特別な地位を持っている。

遥かに多数なのは、より悪ずれした理想主義者たちがつくっているところの学派であって、彼らは、あらゆる人間社会(human communities)の組織には、権力が必要だということを認識している。それ故に彼らは、国際的権威を創造し、国際法廷を権威と結び合わせ、その決定事項を強制する力を持たせるために、それに、国際的警察力を具備させせようとするのである。これらの立憲的手段をもって、彼らは国際的無政府状態を克服し、国々が集合して作るところの世界共同体のあらゆる問題を解決するつもりなのである。（本文163頁）

なぜこんな議論をしているのか。二度と戦争をしたくないので、新しいシステムをつくらないといけない。国連に軍隊を持たせるのであれば、国家の主権を委譲しないといけないのか。それは非現実的だから、もう少し緩い方法を摸索するべきか。そういった様々な議論が1944年当時は行われていた。だから当時の文脈の中では、非常に重要な話題だった。ただ今は、決着がついていて、国連軍は形の上だけあるけれども、安全理事会の承認がないと動けない。実質、国際的な軍隊ではない。国家主権は意外と強かったんだ。しかも、国連の力は益々弱まってきている現状がある。

ちなみに、将来国連で仕事したいと思うなら、日本人はすごく有利だ。日本は国連の拠出金が3番目で、優先的に入れる。国連の職員になりたい場合には、大学院まで出て修士号を持っておこう。できれば博士号を持っていたほうがいいけれども、実務経験がないと入れない。会社に数年勤めて、経験を積もう。一番現実的な方法は、地方公務員、たとえば埼玉県や市の公務員になることだ。この仕事は「ローカル・ガバメント」と呼ばれ、政府機関で勤務したことと同じ扱いになる。修士号を取って、川口市役所に5年ほど勤務していて、英語がよくできるのであれば、かなりの確率で採用されるんじゃないかな。

皆さんがだいたいそうした場所に行けるようになるのは、27、8歳、今から10年後くらいだろう。年収は、最低でも1000万はもらえる。日本の外務省に入るよりは、国連に入るほうがはるかに易しい。

ただ国連に入ると、日本ではあまり仕事をせずに、外国へ、特に途上国に行くことが多くなるけど、やりがいのある仕事の一つであることは間違いない。

理想主義と現実主義のバランスを取るアメリカ

こうしたすべての困難が十分に明白であるが、現世代が直面する世界的事業に関する理想主義的な解釈と並んで、現実主義的な解釈の出現がうながされている。（本文171頁）

「理想主義」という考え方が外交にはあって、みんな戦争をしないような仕組みをつくりましょうと考える。もう一つは「現実主義」で、ニュートン力学の考え方、力と力の均衡で物事が決まるという考え方だ。国際政治には両方の考え方が常にある。

世界状勢に対する冷静なアプローチは、世界統一の最初の基礎は、列強間の安定した一致におかれねばならないという仮説をもってはじめることでなくてはならない。このような一致は、事実上、不可能かもしれない。たとえ可能となっても、それは多分、局部的な協定に限定されたものとなるであろう。列強それぞれにとっての一方的な安全政策は、相互安全のための広範囲の組織と巧妙に組み合わせられるかもしれない。（本文174頁）

ここに「列強」という言葉が出てくるよね。英文を探してみよう。

"A policy of unilateral security for each great power may be artfully compounded with a wider system of mutual security."（原書177頁）

“great power” で「列強」だ。でも今は使わない言葉だよね。“power” だけでも政治の文脈では「大国」になる。中国やアメリカのような超大国は “super power” と表現する。覚えておこう。

いずれにせよ、列強の中でも特に有力な権力のみが最小限度の世界秩序のための権威ある核心でありうるということは明らかである。世界共同体のヴァイタリティはあまりに多様であり、文化的、民族的諸勢力はあまりにも異質的であり、共通の伝統や経験の要素は、あまりにも微小であるが故に、世界秩序の最初の基礎として、優勢な集合的権力を確立する政策を実施することが出来ないのである。（本文１７５頁）

大国は、小国を巻き込み、自分が思うように世界を動かしていく。だから大国の行動を抑える国際的な憲法をつくりたいが、それはなかなかに難しい。でもつくる試みさえも諦めてしまったら、大国が勝手に世界を動かすのを黙認することになる。

理想主義と現実主義のバランスを取りましょう、というのがニーバーの視点だ。だから歴代のアメリカ大統領が彼の言っていることに関心を持ってきた。

中国は、ただ、可能性としては列強の一員であるが、事実上はそこまでゆかないが故に、世界の平和は、他の三大国、すなわち、英国、ロシア、アメリカの政策に特に依存することとなる。これら三大国のうち、ロシアはその権力欲に内的な道徳的抑制を加えることが一番困難な国である。これは、ロシアがコミュニスティックだからとか、唯物主義的だからとかいうのではなくて、むしろ、自己批判を困難にさせ、自己正当化（self-righteousness）を避けがたくさせるところの、単純な宗教と文化とを指導精神としているからである。その信条は、資本主義的勢力の邪悪な意図を仮定し、革命の彼方に立つ国の無垢と美徳を仮定する。このような前提より生まれ来るところの素朴な自己正当化は、ロシアの属性とされるほんとうの悪徳、または、空想上の悪徳のどれよりも、国家間の相互一致にとって遥かに危険である。他の国々の場合のように、感覚の鋭い少数者たちが、国家の良心として行動し、国家の行動やみせかけを批判するところのデモクラシーの制度がない故に、ロシアにおいては自己正当化へむかう傾向が強くなるのである。

いわゆるデモクラティックで、「キリスト教」的国家は、原理において、自己批判を要求する文化、および、実践において、それを可能にする制度を持っている。（本文180頁）

どうしてキリスト教は「自己批判を要求する文化、および、実践において、それを可能にする制度を持っている」の？　原罪の感覚があるからだよね。自分は善い行いをしているつもりでも、悪いことをしている可能性がある。ソビエト国家は、人間は素晴らしいものだと考えているので、人間は悪いことをするはずがないと考える。悪を抑制する原理が埋め込まれていないゆえに、凶悪になってしまう。

イギリスは、自分のやっていることは正しいのだと、嘘の話や変な話を作ってまでも偽善的にふるまう。でもそこには、善なることをしようとする前提がある。なんにも考えていなければ、ナチスのようにむき出しで、「俺たちは強いんだ、言うことを聞け」と言っている。だから偽善であっても、装っている分はまだマシなんだとニーバーは言っている。この辺が彼のリアリズムだ。

人類の究極の可能性であり、不可能性でもある

これらの気分は、政治的にも、道徳的にも成熟していないしるしである。このような気分は、ある程度の憲法上の困難にかてて加えて、アメリカ外交政策の予測し難い性格の原因である。もしも、アメリカが成熟すれば、その証左は、諸国家によってつくられるところの世界共同体において、持続する責任を進んで執ろうとする態度となって先ずあらわれて来なくてはならない。(本文182頁)

「責任」は英語でなんて言う?

生徒：responsibility。

そう。“response”は返事をすることだ。“responsibility”は、神様に対して返事をするという意味。これはドイツ語の“Verantwortung”も、ロシア語の“ответственность”も同じ意味だ。ヨーロッパ語においては、誰かに対して返事をすることが、「責任」なんだ。よく日本人は「それは自己責任だ」と言うでしょ。でもこの「自己責任」はヨーロッパ人

には理解不能な概念だ。自分で自分に責任を取ることは原理的にあり得ない。「責任」という概念の前提には他者がある。他者との関係において、はじめて責任が取れる。
自分で自分の責任を取ろうとしても、自分の中でぐるぐる回ってしまうので、自家中毒のようになってしまう。子どものころにストレスが強いと、自分の免疫で体の調子がおかしくなって、熱が出たり下痢をしたりする。それと一緒の状態だ。「自己責任」はすごく変な言葉なんだよ。他人との関係において、自分が答えることが責任だからね。

キリストの愛が人間存在の究極の規範であるというキリスト教信仰の主張は、全人類的共同体は、他者の生活や福祉のためのわれわれの道徳的責任感をあらわすことを中断することはしたくないという告白として社会的に表明しなくてはならない。最高の成果に達してもなお、人間生活は罪深い堕落に染まっているということを理解させる、キリスト教信仰は、世界共同体の水準においてなお、新たな堕落があるということによって、単純な理想主義者のように絶望に落ち込むことのないように、人間をして準備させてくれるのである。（本文185頁）

「最高の成果に達してもなお、人間生活は罪深い堕落に染まっているということを理解させ

る」と書いてあるよね。どんなに成功した人間でも、どんな社会であっても、罪を持ってい
る。だからこそ、悪が生まれることをストップさせるような仕組みを作っていかなければい
けない。
あるいはなにか悪いことがあって幻滅したとしても、人間はもともと原罪を持っているの
だと考えれば、そんなに絶望することはない。理想的な場所や人間はどこにもいない。ただし、
そういう人間の中にもいいものがあるし、どの社会の中でもいいものがある。これを、バラ
ンスを取った形で理解していこうと言っている。

歴史を支える神の力は、人間の最高の努力をもってしても不完全さに終るにちがいな
いものを完全なものとすることが出来るのであり、また、最も純粋な人間の志において
さえもあらわれるところの堕落を清めることが出来るというキリスト教信仰の望みは、
我々が歴史的事業を勤勉に成就してゆく上に必要欠くべからざるものである。それなし
では、我々は、人間の力に信頼を置きすぎるかと思うと、次の瞬間、人間の能力の限界
につきあたれば、人生の意義に対するあらゆる信仰を失ってしまうような感傷と絶望の
気分を繰り返すこととなるのである。
すべての歴史的諸勢力が我々をその方向へと追い立てるかに見える世界共同体は、人

類の究極の可能性でもあり、また不可能性でもある。それをなしとげる業は、あらゆる歴史的事業の断片的で、あてにはならない特質を理解しながらも、なお、神の大能の御手においてそれらの業が完成される事を知っているが故に、このような歴史的事業の意義に確信をおくところの信仰の立場から解釈されなければならないのであり、このような神の宝源は、人間の資源よりも偉大であり、その苦難の愛は、我々の努力の意味を否定することなしに、人間の業の堕落を克服することが出来るのである。（本文１８５〜６頁）

「人類の究極の可能性でもあり、また不可能性でもある」と書いてある。神学の世界でよく使われる「不可能の可能性」という言い方だ。できないように見えることがあっても、それに向かって努力をしていくことによって、なにか見つかるものがあるという考え方だ。手が届かなくても、挑んでみることに意味があるんだ。

はい。全部読み終えましたね。一章と二章は一部割愛したけれども、三章以降は一文字も残らず全部読んだ。初日はわからないから時間がかかったけれども、加速度がついてきて、2日目からはだいぶわかるようになってきたね。

じゃ、授業はここまでにしましょう。

ほんとみんなどうもありがとう。この3日間、とても大変だったと思います。ただ、重要なのは、毎朝8時45分から4時くらいまで、これだけ集中してテキストを読み込むと、どれだけのことができるようになるものか、それを自分の皮膚感覚でつかめるようになったこと、それがものすごく重要なんです。

今日の午前中、山田昌弘さんと原田曜平さんの対談をみんなに読んでもらったけれども、「人間偏差値」なんて間違った考え方が世の中に蔓延していて、それでみんなの可能性を潰しているんだ。そういうものを「脱構築」していく力が、みんなにはあるからね。だから、高い志を持って、勉強を一生懸命して、難関大学に入ってもらいたいと思う。でもそれが終点じゃない。その先で、社会に貢献する人になってほしいんだ。みんなにはその可能性があるし、基本的な実力もあるから。あとはそれを磨くかどうかだね。

それから、成績はこのなかにはいろんな人がいると思うけど、とくに遅れてしまっている人に言っておきたい。私も高校で遅れちゃった一人で、大学でそれを取り返さないといけなかったんだけど、川口北高校のような学校にいると、どうしても自分のプライドとの折り合いが大変になる。つまり、自分に知識の欠損があるときに、どこかでそれを認めたくないという心理が働くことになる。いったんそのプライドをカッコに入れて、どこが理解できていないのかということを冷静につかむ努力をすること、そしてそこのところを埋めていくことがとても重要だ。

たとえばもし数学に苦手意識があってどこかひっかかっている人がいたら、どこがひっかかっているのかを自分で調べてみて、その部分から中学校の教科書にもう一度立ち返って勉強してみる必要がある。

あと、川北の先生はみんな熱心な方たちだから、先生を使い倒すこと。学校の先生というのは、勉強のことで聞かれたことに対しては、答える義務がある。だから勉強に関することで質問があったら、どんどん聞きに行って先生を使い倒す、これは非常に重要なことだ。

これから高校生活は2年あるからね。そのなかでいまのペースでみんな勉強していれば、一般的な大学生と同じレベルの知識はついて、川北を卒業できると思う。そうすれば、結果として入試には成功すると思う。ようするに、塾とか予備校とかがやっているような「この大学に入るためのできるだけ合理的な勉強」といったやり方ではなくて、高校の授業でやっていることをキチっと消化していって、一段高い環境で勉強を進めていって、結果として難関校や超難関校に合格する。そういう方向をぜひ目指してほしいと思います。

あと、センター試験で使わないからといって、受けない科目を捨てないでね。仮に私立に行くことになって受験では使わなかったとしても、そこで勉強した科目は、あとですごく役に立つ。

学校の勉強、それに積み重ねてやる受験勉強は、実は社会に出てから意外と役に立つんです。受験勉強が役に立たないというのは嘘です。高校の勉強が、社会に出てからつながらないというのは嘘です。高校でやっている英語が社会に出て使えないというのは嘘です。高校の英語が十分に使えれば、社会に出てからも十分に使える。だから学校を信頼してね。いま学校でやっているこの勉強を基本にすえて、学校の行事や部活と合わせて、みんなひとまわりもふたまわりも大きく成長していってほしいと思います。みなさん、どうもありがとう。

あとがき

私の集中講義に参加した生徒は2021年3月に高校を卒業する。まさに大学入試制度が切り替わる第1期生になる。この人たちを困惑させる事態が生じた。

2019年11月1日、萩生田光一文部科学相が2020年度開始の大学入学共通テストへの英語民間試験導入延期を発表した。〈文科省は今後、検討会議を立ち上げ、共通テストでの英語試験について1年後をめどに結論を出す方針。大学入試センターが4技能を測る新しい試験を新たに開発することも含め、民間試験の活用自体を見直すことも排除せずに検討を進めるという。／20年度からの共通テストでは、英語の「読む・聞く・書く・話す」の4技能を測るために民間6団体の試験を活用し、受験生の成績を大学入試センターを通じて大学側に提供することにしていた。しかし、居住地や家庭の経済状況によって受験機会に格差が出る恐れがあるなど、公平性への懸念の声が上がっていた。／萩生田文科相は1日の閣議後記者会見で、導入見送りの理由を「安心して受けられると自信をもっておすすめできるシステムになっていないと判断した」などと説明した〉（11月2日「日本経済新聞」電子版）。

文科省が英語力に関して、最終的に「読む・聞く・書く・話す」の能力をバランス良くつけることを目標として入試改革を行おうとしていること自体は正しいと私は考えている。しかし、入試への技術的落とし込みが未熟だった。出題傾向が異なる複数の民間試験を用いて選抜を行うというアプローチに技術的欠陥があった。また、高校生が置かれている英語環境への配慮が足りなかった。英語圏で生活した経験を持つ帰国子女を除き、大多数の高校生は日常的に英語に接していない。そのような生徒にいきなり「書く・話す」能力を求めることにそもそも無理がある。英会話に関しては、日常的訓練が不可欠なことは誰にでも想像がつく。英作文に関しても、日本語の新聞記事やエッセイを英訳しても、英語を母語とする者のネイティブチェックを受けなくては、意味は通じるが奇妙な表現になってしまう場合がほとんどだ。自由英作文に関しては、外国人への英語指導の訓練を受けた専門家によるネイティブチェックを受けないと満足な文章を書けるようにならない。このような環境を子どもに準備するためには、金がかかる。民間試験を廃して、大学入試センターが入試問題を作成することになってもこの構造的問題は変わらない。

英語力の向上に関しては、英語を専攻する大学生を除けば、大学入試に合格した時点から英語力が下降する一方であるという現在の大学における英語教育の改革が不可欠だ。それがないと受験生に無駄な努力をさせることになってしまう。

野党は大学入学共通テストを政争の具にしている。〈英語民間試験の活用延期が決まった2020年度開始の大学入学共通テストをめぐり、国語と数学の記述式問題も激しい批判にさらされている。大学入試センター試験のような選択式と異なり、採点の難しさが指摘されているためだ。野党だけでなく、高校生ら当事者にも中止を求める声が高まっている。／8日の参院予算委員会。立憲民主党の福山哲郎氏は高校生の言葉を紹介する形で、二つの懸念を示した。／一つ目は採点の精度。「学生バイトを信頼して任せられるわけがありません。短期間でミスなく採点を行うのは不可能です」。数十万人規模の試験で、学生アルバイトによる採点も想定されているからだ〉（11月9日「朝日新聞デジタル」）。数十万人規模の試験でアルバイトを雇わずに採点をすることは非現実的だ。独立行政法人大学入試センターが発表したモデル問題に基づくと記述字数は35字、40字、80〜120字で、求められている解答の内容もはっきりしているので、大学生のアルバイトでも正確に採点できると思う。

〈二つ目は、2次試験の出願先を選ぶ際の目安になる自己採点で、実際の点数との差が出る恐れがあることだ。「5段階評価の一つのランクの違いで加点が大きく異なる場合があります」。国語は5段階で評価される仕組みでぶれも大きい。自己採点に自信が持てず、第1志望をあきらめる受験生も出かねない〉（前掲）。大学入試センターは、標準解答を発表する。受験生の自己採点が妥当であるかどうかは、高校、予備校などがチェックするので自己採点と実際の得点が大きく乖離することもないと思う。この質問をした国会議員が大学入試センターが発表したモデル問題例を精査した上で質問しているとは思えない。こういう姿勢は不誠実だ。

大学入試を政争の具とするべきではない。野党が安倍政権を攻撃する材料として大学入試共通テストを用いた結果、受験生のみならず高校生とその保護者に必要のない不安を与えている。また、国民の教育行政に対する信頼が、事実に基づかない印象で毀損されている。このような事態が日本の子どもの将来に与える悪影響を政治家は自覚すべきだ。大学入試共通テストに関しては政治家ではなく教育専門家が静かな環境で技術的に検討する事項と思う。

この集中講義に参加して下さったのは、埼玉県立川口北高等学校の坂東諭緯氏、室永遼河氏、小林一心氏、山根美奈氏、山田創平氏、常見拓人氏、新保悠真氏、熊谷昴亮氏、秋山愛斗氏、隼田健氏、青木滉生氏、齊藤瑶織氏です。この集中講義は、大川勝校長、長谷川弘教頭、柴崎隆史前教頭の尽力なしには実現しませんでした。本書を上梓するにあたっては、晶文社の安藤聡氏、フリーランス編集者の山本奈々子氏にお世話になりました。皆さん、ほんとうにありがとうございます。

2019年11月25日、曙橋（東京都新宿区）の書庫にて、

佐藤優

埼玉県立川口北高校では２０１６年から
外部講師による教養講座「リベラルゼミ」が開かれている。
本書は佐藤優氏が講師として２０１９年2月14日と
春休み中の４月３日〜５日に行った全四回の
「特別講義」の内容をもとに構成し、加筆修正を行った。

引用文献

ラインホールド・ニーバー
『新版　光の子と闇の子』
武田清子＝訳／佐藤優＝解説、晶文社、2017年

Reinhold Niebuhr
"The Children of Light and The Children of Darkness"
University of Chicago Press, 2011

『新詳 世界史B』
帝国書院、2019年

佐藤優

SATO MASARU

作家、元外務省主任分析官。1960年生まれ。同志社大学大学院神学研究科修了後、外務省入省。在英国日本国大使館、在ロシア連邦日本国大使館などを経て、95年より本省国際情報局分析第一課に勤務。主任分析官として対ロシア外交の最前線で活躍。2002年背任と偽計業務妨害容疑で東京地検特捜部に逮捕され、05年執行猶予付き有罪判決を受ける。09年最高裁で有罪が確定し、外務省を失職。13年執行猶予期間を満了し、刑の言い渡しが効力を失う。05年に発表した『国家の罠――外務省のラスプーチンと呼ばれて』で第59回毎日出版文化賞特別賞受賞。06年『自壊する帝国』で第5回新潮ドキュメント賞、第38回大宅壮一ノンフィクション賞受賞。著書に、『「ズルさ」のすすめ』、『新・戦争論』、『私の「情報分析術」超入門』、『「知」の読書術』、『現代の地政学』、『ゼロからわかるキリスト教』、『知の操縦法』、『ファシズムの正体』、『君たちが忘れてはいけないこと』、『人生のサバイバル力』、『佐藤優の挑戦状』、『世界宗教の条件とは何か』など多数。

16歳（さい）のデモクラシー

受験勉強で身につけるリベラルアーツ

2020年1月25日　初版

著者
佐藤 優

発行者
株式会社晶文社
〒101-0051　東京都千代田区神田神保町1-11
電話　03-3518-4940（代表）・4942（編集）
URL　http://www.shobunsha.co.jp

印刷・製本
中央精版印刷株式会社

ISBN978-4-7949-7167-8　Printed in Japan